GUIDE
DE LA GESTION
PRÉVISIONNELLE
DES EMPLOIS
ET DES COMPÉTENCES

Éditions d'Organisation
1, rue Thénard
75240 Paris Cedex 05
www.editions-organisation.com

© Éditions d'Organisation, 2000, 2004.
ISBN : 2-7081-3076-5

Françoise **KERLAN**

GUIDE
DE LA GESTION
PRÉVISIONNELLE
DES EMPLOIS
ET DES COMPÉTENCES

Préface de Jean-Louis Muller
Directeur à la CEGOS
Ancien responsable de Formation
à l'Université
Paris 9 Dauphine

Deuxième édition

Éditions
d'Organisation

SOMMAIRE

V

REMERCIEMENTS

Je tiens à remercier :

Janine GRIÈRE, professeur à la Sorbonne, disparue, et Pierre CASPAR, professeur au Conservatoire National des arts et métiers, pour la richesse de leurs enseignements.

Toute la direction de la CEGOS et en particulier, Jean-Louis MULLER pour ses encouragements à poursuivre l'écriture de cet ouvrage et sa contribution.

Tous les autres collègues consultants à la CEGOS, notamment Annick COHEN, Sandra BELLIER et Christophe BARRE pour leurs apports critiques et leurs encouragements sans oublier Marie-Luce DUBOIS et Ilda SOARES pour leur amitié.

PRÉFACE

Depuis le début des années 90, le thème du salarié « entreprise de lui-même » contribue à pléthore de colloques, débats, émissions et articles. La globalisation de l'économie et les exigences accrues des clients et des usagers des services publics entraînent une révision de fond en comble des stratégies et de la Gestion des Ressources Humaines où l'adaptabilité et la flexibilité sont les maîtres mots.

Et pourtant les cycles humains, plus longs que les cycles économiques produisent de l'inertie. Rappelons-nous que les modèles dominants de Gestion des Ressources Humaines en Europe furent conçus à la fin de la Seconde Guerre mondiale. L'histoire de ces modèles traditionnels est l'histoire de la satisfaction des personnes dans un contexte de fort développement et de relative autarcie. Nous avons vécu depuis 1950 sur la croyance en un progrès conjoint de l'économique et du social : éducation, santé, sécurité de l'emploi, retraite, augmentation du niveau de vie, amélioration des conditions de travail, services publics accessibles à tous…

Le marché, de local est devenu régional, puis national, enfin international. De surcroît, le traitement des affaires au niveau international est plus rapide aujourd'hui que le traitement du marché local par le passé.

Un modèle de voiture, un logiciel, une émission de télévision, un disque laser ne sont rentables que si le monde est leur marché. L'émergence de nouveaux compétiteurs (Fédération de

Russie, Corée, Chine, Mexique, Chili, etc.) place les salariés européens en concurrence avec des ingénieurs et des ouvriers « moins coûteux ». Ces nouveaux compétiteurs, qui accentuent les problèmes de l'emploi en Europe et aux États-Unis, sont aussi des marchés susceptibles de relancer nos offres technologiques.

Les compétences des hommes, comme les organisations, ne sont plus immuables. En 1960, la fidélité à son métier et à son entreprise était une valeur partagée. Les enseignants, les parents et les responsables économiques de l'époque répétaient à l'unisson : « vous pourrez changer d'employeur, mais surtout, conservez votre métier toute votre vie ». Ces valeurs sont encore ancrées dans l'inconscient collectif. Et pourtant, nous savons que, désormais, il faudra changer de métier plusieurs fois dans sa vie professionnelle. La durée de vie des savoir-faire utiles a tendance à se raccourcir. Il ne suffit plus de savoir s'adapter, encore faut-il le faire vite.

Les organisations qui se croyaient immortelles et voulaient se transformer en institutions immuables découvrent que la vie économique est aléatoire. Nous avons en mémoire les fermetures de sites sidérurgiques, miniers et textiles dans les années 70. La durée de vie d'une entreprise ne dépend plus de ses stratégies, de ses technologies et de son organisation, mais de sa faculté d'adaptation permanente aux évolutions des marchés. Tout se passe comme si l'entreprise était un système vivant dans lequel des cellules meurent, d'autres se transforment et de nouvelles naissent.

Une tendance paradoxale, au regard des statistiques sur le chômage, est la mutation très rapide des valeurs sur le travail. Les aléas de la conjoncture, l'incertitude et les changements répétés génèrent un contexte déstabilisant pour les entreprises et leurs salariés. La flexibilité est élevée au rang de valeur. Ce terme à la mode remplace les notions classiques d'adaptabilité et de souplesse. Des économistes appellent de leurs vœux la flexibilité des temps et des contenus du travail.

Les syndicats mettent en garde les salariés contre cette flexibilité qu'ils nomment précarité. Les dirigeants d'entreprises privées et publiques mettent en place des systèmes d'appréciation des performances débouchant sur des revenus flexibles pour leurs collaborateurs. La question majeure que se posent les managers est « quelles sont les compétences rares dont nous aurons besoin pour gagner en compétitivité ? ». Ceux qui, malheureusement pour eux, possèdent des compétences professionnelles banalisées vivent dans la peur de l'exclusion. Des jeunes en difficulté d'insertion abandonnent tout espoir d'embauche et s'installent dans une relation distanciée par rapport aux formes classiques du travail salarié.

Les deux aspirations fondamentales de la plupart des salariés restent de nos jours la stabilité de la rémunération et le contrat de travail à durée indéterminée. Ces deux aspirations sont relayées par les exigences des institutions sociales et financières. Par exemple, pour obtenir un logement, un prêt, un remboursement hospitalier, l'office de HLM, l'organisme de crédit et la Sécurité sociale demandent la présentation des bulletins de salaires et des attestations prouvant la stabilité de l'emploi.

Le livre de Françoise KERLAN manquait dans la « boîte à outils » des professionnels des Ressources humaines.

En effet, « tous » savent que les carrières ascendantes cèdent la place aux trajectoires et mobilités professionnelles. Le POURQUOI le faire est largement explicité, ce livre apporte QUOI faire et COMMENT le faire. Les pratiques de management telles que les entretiens annuels, la détection des potentiels, les plans de formations y sont revisités pour permettre à chaque salarié de construire son projet professionnel et de le mettre en œuvre pour son propre bénéfice et pour la compétitivité de l'entreprise.

Pour accroître son employabilité, chaque salarié devrait en effet pouvoir adopter une démarche stratégique en analysant ses forces et ses faiblesses en fonction des menaces et opportunités de son environnement.

Par exemple : « Ma spécialité risque de décliner, il faut que j'investisse dans le renouvellement de mes compétences ». Cette décision d'investissement est par essence risquée, comme tout investissement, mais elle est potentiellement créatrice de valeur.

Pour Françoise KERLAN, et je partage ses valeurs, ce salarié ne doit pas être laissé seul face au « grand tout ».

De nombreux dirigeants ont compris la nécessité de cet investissement sur les compétences. Une bonne entreprise aide ses collaborateurs, chacun étant l'acteur principal de sa trajectoire professionnelle.

Le rôle majeur, aujourd'hui et encore plus demain de la fonction Ressources Humaines est de créer de la valeur pour l'entreprise, ses clients et ses collaborateurs. La lecture de ce livre prend ici toute sa valeur.

Jean Louis Muller
Directeur à la CEGOS
Ancien Responsable de Formation à l'Université Paris 9 Dauphine

INTRODUCTION

« Les stratégies, les démarches, les outils, si bons soient-ils, dépendent de la volonté des hommes. Les effets de la guerre du temps entrent en contradiction avec les habitudes de stabilité entretenues par la gestion classique des ressources humaines. La révision en profondeur de la Gestion des Ressources Humaines se réalisera dans l'adversité ». Jean-Louis MULLER

En effet, au-delà des stratégies, des outils, des démarches, nous constatons toujours les mêmes contradictions et les mêmes inerties entre une volonté de développer de nouveaux modes de management et une Gestion des Ressources Humaines avant tout « administrative » mais insuffisamment orientée « service client interne » ce qui engendre un rôle actif au sein des organisations et des services de l'entreprise pour les dirigeants et les acteurs des ressources humaines.

Nous connaissons tous cet héritage culturel fondé sur des valeurs « conflictuelles », le conservatisme syndicats-patrons-salariés de cette « lutte de classe » de 1936 perdure dans le temps et nous constatons aujourd'hui que ces valeurs sont toujours présentes. J.-L. MULLER parle alors « d'adversité ».

Le rapport de force est inévitable. Gardons à l'esprit que « seul » l'individu décidera de changer et qu'il lui faut du temps pour accepter d'autres représentations mentales et d'autres façons de travailler. C'est l'individu qui dépassera le fait de « l'intention » pour passer à « l'action ».

Ces deux dernières décennies, l'entreprise est passée d'un état relativement stable à un régime plutôt turbulent, marqué par des inerties fortes et des innovations majeures, par des ruptures de rythme de plus en plus nombreuses, par une complexification croissante des structures et des problèmes, une multiplication des réseaux d'informations et l'apparition d'interdépendances sectorielles nationales et internationales croissantes.

Ainsi au regard d'un contexte où les conditions de l'efficacité économique sont devenues plus prégnantes, où les conditions du progrès social sont devenues plus difficiles à mettre en œuvre, l'entreprise passant d'une culture de la permanence à une culture de l'impermanence, les emplois et les qualifications connaissent des transformations, des émergences et des obsolescences importantes.

Pour répondre à cette situation, l'entreprise présente désormais deux caractéristiques fondamentales : la première concerne son caractère globalisant (elle cherche à appréhender la réalité dans l'intégralité de sa pluralité : technologique, financière et humaine) ; la seconde caractéristique, touche à sa conscience de l'incertitude (elle pense le salarié en même temps qu'elle se pense elle-même et se pensant elle-même, dans ce contexte turbulent, se reconnaît fragile, faillible, déconcertée par la complexité, elle proclame alors la ressource humaine comme seule pouvant lui apporter un avantage concurrentiel décisif).

Autrement dit, la volonté de saisie globale et la conscience de l'incertitude, toutes deux inhérentes à l'entreprise, font que celle-ci reconnaît la nécessité de l'anticipation et l'importance de la notion de compétence.

La GPE (gestion prévisionnelle des emplois) et la formation se trouvent donc investies d'une mission cruciale, répondre aux turbulences du contexte concurrentiel.

Pour comprendre l'articulation entre GPE et formation, nous allons énoncer deux hypothèses :

• **l'action de l'entreprise est désormais régie par une double exigence : celle du temps et celle de la compréhension.**

Nous montrerons dans notre première partie que la GPE et la formation répondent à cette double exigence. Or, cette double exigence entraîne une conséquence fondamentale, qui est celle du bouleversement de la vision classique de la Fonction Personnel.

- **l'articulation entre la GPE et la formation n'est possible qu'au prix d'un abandon de la vision traditionnelle de la fonction gestion du personnel, celle-ci recouvrant une dimension politique.**

La première partie aura pour but de montrer, à travers un rapide historique de la Fonction Personnel qu'une même logique régit la GPE et la formation ; logique où la ressource humaine est considérée à la fois rare, structurante et organisationnelle.

Nous verrons au travers d'exemples en entreprise que la rupture avec la conception sécurisante du pouvoir et du commandement engendrée par l'articulation de la GPE et la formation induit une nécessaire modification de la culture d'entreprise. Celle-ci connaît un certain nombre de difficultés et d'exigences au moment de sa concrétisation.

Les conditions de réussite

L'articulation entre la GPE et la formation doit :
- Répondre à la double exigence du temps et de la compréhension.
- Recouvrir une dimension politique.
- Considérer la ressource humaine comme rare, structurante et organisationnelle.
- Rompre avec la conception sécurisante du pouvoir.

PARTIE 1

GPEC :
UNE PROBLÉMATIQUE DE LA GRH

CHAPITRE 1 Évolution de la fonction ressources humaines

1.1. De la gestion du personnel à la Gestion des Ressources Humaines

1.1.1. *Rapide historique de la Fonction Gestion du Personnel*

L'historique de la Fonction Gestion du Personnel nous permet de montrer que sa création et son développement s'expliquaient par le souci de répondre à des problèmes quantitatifs par des solutions elles aussi quantitatives.

Nous pouvons dénombrer trois pratiques dominantes qui se sont inscrites chacune dans des contextes bien spécifiques et qui ont permis l'émergence de la Fonction.

• ***De 1880 au premier conflit mondial***, l'empirisme l'emporte en matière d'organisation, les employeurs cherchant à accroître l'intensité du travail en ayant recours essentiellement aux stimulants financiers (prime) ; la Fonction Personnel durant cette période de « stimulation sans organisation » reste à l'état embryonnaire et marginal.

- ***Entre les deux conflits mondiaux***, c'est la rationalisation, principalement d'essence taylorienne, qui l'emporte (but : éviter les gâchis…) ; cette période consacre l'apparition progressive de la Fonction Personnel comme autonome, chargée d'assurer la régulation de la main d'œuvre nécessaire à la Production. Elle acquiert progressivement les grands traits de la modernité, tels qu'ils s'affirment à partir des années 50 (centralisation, uniformisation et harmonisation)

- Après cette phase d'organisation à la stimulation et d'intégration de la fonction, apparaît celle de son intégration économique et statutaire : ***entre la période de reconstruction et les années 70***, le modèle « Fordien » va prendre toute son ampleur en permettant de développer de façon simultanée et indissociable, la production de masse et la consommation de masse. Parallèlement, la rencontre entre le courant des relations humaines (démontrant l'importance qu'il faut attacher au « facteur humain » pour accroître la productivité) et le « Fordisme » (bureaucratie, rationalisation) favorise le développement de la Fonction Personnel.

1.1.2. *Les caractéristiques principales de la Fonction Gestion du Personnel*

- Un caractère administratif fort (principe historique de l'organisation, activités fonctionnelles, logique de division du travail et de spécialisation des fonctions, système d'organisation des postes et des carrières fondé sur des règles impersonnelles).

- Une gestion centralisée.

- Une rationalisation de la fonction.

- Un traitement bureaucratique (illusion que l'on peut commander un ensemble humain grâce aux structures).

- Un caractère subordonné aux autres fonctions (le personnel est alors considéré comme une contrainte et comme un coût à minimiser, dont on attend au mieux une faculté d'exécution des ordres hiérarchiques).

- La Fonction Personnel apparaît comme une *fonction séparée* au nom d'une spécialisation des tâches qui assigne à chaque service la poursuite d'objectifs séparés et indépendants, selon la logique fonctionnelle de l'organisation administrative classique.

- Une professionnalisation de la fonction (corps spécifique, élaboration d'une doctrine).

Ces caractéristiques aboutissent à la philosophie d'actions suivantes :

– le rôle du responsable du Personnel prend ancrage dans la technique ; ses actions ont pour motifs de gérer, contrôler, surveiller, négocier, récompenser et gratifier. Sa mission consiste à assurer la fluidité interne du fonctionnement de l'entreprise : stratégie défensive,

– la Direction du Personnel représente la situation générale et applique sa volonté : sa compétence est étroite, limitée, confinée à un rôle d'assistance et de défense des prérogatives managériales,

– cela lui permet d'avoir un professionnalisme clair, reconnu et mesurable.

1.1.3. *Le salarié, variable d'ajustement ou variable molle*

Malgré les apports de l'école américaine des motivations (qui vise à pallier les limites d'un modèle d'intégration strictement organisationnel et à trouver d'autres registres pour améliorer la productivité) et de l'approche socio-technique (qui introduit l'idée que le système humain a son propre mode de fonctionnement, tout aussi légitime et plus complexe que le système technique) à l'organisation à la fois « Taylorienne » et « Fordienne », l'entreprise s'intéresse davantage aux conditions de travail, mais continue de délaisser la motivation des salariés.

Ces derniers demeurent pour l'entreprise une force coûteuse et indocile.

Mais l'émergence d'un nouvel environnement où les exigences des clients croissent, où les facteurs hors prix s'imposent... fait que les solutions organisationnelles classiques montrent leurs limites.

Ce nouvel environnement nécessite alors un changement dans l'organisation, dans la mesure où l'engagement et l'intelligence des hommes deviennent décisifs.

En reprenant Crozier dans « L'Entreprise à l'Écoute », nous pouvons dire que « le nouveau paysage postrationnel » nécessite le passage de la logique de l'obéissance à la logique de la responsabilité.

L'entreprise ne peut plus désormais organiser, prévoir, commander de la même manière : il faut hiérarchiser les variables autrement ; l'organisation doit être plus ouverte, plus souple, plus tolérante. Il ne s'agit plus de diviser, de répartir ou de coordonner, mais de mobiliser, d'inciter et de responsabiliser un système humain plus large, plus autonome.

1.1.4. *La nouvelle logique organisationnelle*

– C'est le passage progressif de la notion de productivité à la notion de compétitivité qui a permis de faire passer les ressources humaines du registre de l'organisation du travail au registre de la stratégie d'entreprise.

La conception statique de l'organisation (organigrammes, descriptions des postes, relations faibles entre fonctionnel et opérationnel...) devant laisser la place à une organisation dynamique, où la ressource humaine devient la ressource fondamentale du monde postindustriel.

Les accords interprofessionnels de 1970 et le texte de loi de 1971 relatifs à la Formation Professionnelle Continue, son évolution au cours de ces vingt années vers le registre de l'investissement stratégique, comme le passage d'une Gestion Prévisionnelle des effectifs à une Gestion Prévisionnelle des Ressources Humaines, illustrent la participation de ces deux moyens de gestion à la nouvelle logique opérationnelle et par voie de conséquence à la reconnaissance du *repositionnement du « capital humain »*.

Pour la GPE et la Formation, la ressource humaine est considérée comme rare, plus exactement c'est la « *ressource humaine motivée* » qui est rare (O. Gélinier) : ce qui manque, ce ne sont pas les ressources, mais la capacité à les mobiliser. Faire coopérer et mobiliser les hommes libres devient plus difficile et plus décisif.

D'autre part, la ressource humaine est une ressource structurante dans la mesure ou les mutations technologiques de plus en plus fréquentes, le retour sur investissement du « parc technologique » de plus en plus rapide, font que le « capital humain » devient la base structurelle la plus stable sur laquelle repose l'entreprise.

Enfin, il convient d'admettre que les objectifs de qualité et de compétitivité ne peuvent plus uniquement se traduire en termes de modernisations techniques en restant quasi exclusivement préoccupés par la gestion des variables « marché/produits » et de la rentabilité financière (variable de gestion économique), tout en réduisant la variable « ressource humaine » (emploi comme simples variables d'ajustement).

Ainsi la GPE et la Formation envisagent la ressource humaine comme une *ressource organisationnelle*, à même d'apporter à l'entreprise l'avantage concurrentiel décisif.

Ce rappel historique de la Fonction Personnel, ses caractéristiques et sa philosophie d'action montrent l'inadaptation de sa conception de la ressource humaine, à la modification de la logique organisationnelle, rendue nécessaire par un environnement plus exigeant.

La GPE et la Formation en reconnaissant la ressource humaine comme rare, structurante et organisationnelle participent à l'élaboration de cette nouvelle logique organisationnelle.

Malgré cette reconnaissance, l'articulation de la GPE et de la Formation semble rendue difficile par une lente évolution de la fonction Gestion des Ressources Humaines.

1.1.5. *La lente évolution de la Fonction Personnel*

Certes, les appellations changent, « Direction du Personnel », « Direction des Affaires Sociales », « Direction des Ressources Humaines », « Direction du Développement Social » pour souligner la nécessité d'anticiper les besoins de l'entreprise, mais aussi pour prendre en compte les aspirations nouvelles du personnel.

Mais, la reconnaissance de la ressource humaine comme rare, structurante et organisationnelle, ne se traduit que très lentement au cœur même de la fonction : évolution lente et contrastée selon les entreprises et plus contradictoire que ne le laisserait croire le discours sur la fonction.

L'ancrage exclusif dans le juridique et l'administratif est encore dominant. L'ouverture sur un management nouveau de la ressource humaine, répondant à l'approche novatrice indiquée plus haut reste minoritaire.

Les spécialistes de la fonction Gestion des Ressources Humaines sont plus souvent les « gardiens du temple » que « conseils en changement », hésitant face au risque d'une déspécialisation mettant en cause leur spécificité.

– L'articulation entre la GPE et la Formation nécessite donc, de la part des entreprises, un abandon de la vision classique de la Fonction Personnel, en faveur d'une dimension politique de son action.

Avant d'aborder la dimension politique de la fonction Gestion des Ressources Humaines, décrivons de manière détaillée la gestion prévisionnelle des emplois et compétences.

1.2. Identifier et adapter les compétences

1.2.1. *Définitions*

Voici un modèle de définition de la gestion prévisionnelle des emplois et des compétences :

- La gestion prévisionnelle des effectifs correspond aux méthodes qui s'intéressent aux aspects collectifs et quantitatifs de l'évolution d'une population de salariés (les aspects démographiques, les âges…).

- La gestion prévisionnelle des compétences correspond aux méthodes qui s'intéressent à l'évolution et au développement des capacités individuelles réparties dans une population donnée. Il s'agit ici, de l'offre de travail (par les salariés) dans ses aspects qualitatifs.

- La gestion prévisionnelle des emplois correspond aux méthodes qui permettent d'identifier l'évolution ou les changements dans les contenus et la structure des métiers, des qualifications et des emplois.

- La gestion prévisionnelle des carrières correspond aux méthodes qui permettent l'identification de parcours indicatifs de carrière accessibles aux salariés de l'entreprise.

La GPRH englobe ce qui précède. Elle recouvre l'ensemble des démarches, procédures et méthodes ayant pour objectif de décrire et d'analyser les divers avenirs possibles de l'entreprise en vue d'éclairer les décisions concernant les RH.

1.2.2. La question de l'emploi

- En réalité la GPRH en vigueur de 1970 à 1986 correspond à une gestion prévisionnelle des effectifs, à une logique de maîtrise des flux à partir d'une prévision des stocks. Ces démarches répondent surtout à des préoccupations globales des directions générales qui veulent mieux connaître les emplois. Trois notions sont alors utilisées :

1/ la notion d'emploi type (Cereq en 1974)

L'emploi type désigne un ensemble de situations de travail présentant des contenus d'activités identiques ou similaires, suffisamment homogènes pour être occupées par un même individu. Un emploi type regroupe ainsi plusieurs postes.

2/ la nomenclature des emplois types

C'est la liste ordonnée de l'ensemble des emplois types de l'entreprise ; elle vise à fournir une représentation suffisamment homogène des emplois types, permettant ainsi de faciliter la mise en évidence de familles professionnelles et des filières de mobilité : passerelles entre les métiers.

3/ les cartes d'emplois

Elles permettent de visualiser l'ensemble, d'avoir une vision globale des emplois, suggérant ainsi la diversité des emplois et les proximités de compétences dans un contexte de mobilité, de reconversion et d'orientation professionnelle.

Nous pouvons citer aussi :

- les référentiels d'emplois et/ou de compétences (fiches descriptives, annuaires des emplois et des compétences d'une entreprise…)
- les salons spécifiques d'emplois dont le but est d'informer les personnes, de susciter des vocations (reconversions externes ou mobilité interne)

Jusqu'en 1986-1987 (Michel ROUSSEAU : conseil, étude et développement aux entreprises et aux territoires), les démarches sont plus descriptives que prévisionnelles, et peu explicatives des dynamiques de transformations des qualifications.

La GPE s'est limitée à une analyse des contenus, des emplois existants : il n'y a là qu'un inventaire des emplois dans l'entreprise. Il s'agit donc exclusivement d'une démarche d'identification des emplois, qui de par sa logique adéquationniste met l'accent sur l'écart à combler et non sur la compréhension des dynamiques de construction des compétences.

1.2.3. La question des compétences

Des tendances nouvelles apparaissent dans le milieu des années 80.

En effet, à partir de 1987, la GPRH va connaître une évolution dans la mesure où elle va devenir plus sensible à la question des compétences qu'à celle des emplois.

L'évolution de la GPE permet de comprendre qu'elle n'a pas pour but de supprimer totalement les incertitudes, ni même d'éviter les licenciements, mais de dégager des espaces de mobilité et d'évolution possible, c'est-à-dire d'identifier ce que savent faire les individus et jouer sur les dynamiques.

Ainsi la question des moyens de la démarche devient centrale : l'apparition d'outils tels que l'entretien d'évaluation ou le bilan de compétences souligne la tentative de prise en compte des itinéraires et des projets professionnels des salariés.

Il ne s'agit plus uniquement de prévoir ce que seront les compétences requises mais de favoriser les conditions de leurs adaptations, c'est-à-dire la mise en place d'une dimension d'apprentissage.

Pour Michel ROUSSEAU : la gestion des compétences revient à relier l'étude prospective sur les métiers et les qualifications à l'apprentissage des nouveaux savoirs, la construction de nouvelles représentations collectives et la mise en place d'une organisation du travail plus flexible, participative et anticipative. La nouvelle GPRH qui tente de se mettre en place depuis 1986/1987 marque la volonté d'abandonner une gestion prévisionnelle trop bureaucratique, trop techniciste, trop adéquationniste, pour une vision favorisant une flexibilité plus qualitative, c'est-à-dire l'adaptabilité des qualifications par la polyvalence, la formation et l'organisation anticipative.

Le but n'est pas uniquement de mettre en évidence les écarts entre compétences actuelles et compétences requises, mais également d'agir pour les résorber (la GPRH s'inscrivant prioritairement dans une logique de marché interne).

Cet abandon de la vision classique marque bien le fait que la GPRH prend alors une dimension politique.

Les idées clés

Malgré une évolution lente de la gestion des ressources humaines et les résistances au changement, deux évolutions majeures sont à noter :

- Prise en compte de la notion de compétence par les responsables.
- Passage de l'obéissance vers la responsabilisation.

CHAPITRE 2 L'articulation de la fonction ressources humaines et la formation : une dimension politique

2.1. La nécessité du changement dans l'entreprise

2.1.1. Pourquoi une dimension politique ?

– L'articulation de la GPE à la Formation fait de la Fonction GRH un indicateur du changement : or une stratégie du changement dans l'entreprise se fonde nécessairement sur une volonté politique, impliquant une conception neuve de la fonction GRH.

Dans les entreprises, ces modifications sont impulsées par les directions générales et mises en application par les directions des ressources humaines en relation avec les partenaires sociaux. Dans les administrations, ces changements émanent des ministères.

Ainsi l'avenir de l'entreprise se confond avec celui du salarié, rien n'est plus unilatéral, tout est politique : leur relation est politique dans un contexte politique (l'entreprise) à l'aide d'une fonction, qui pour concrétiser la nouvelle approche des ressources humaines, c'est-à-dire articuler la GPE à la Formation, devient politique.

Précisons la notion de politique

– Est politique tout ce qui met en cause l'existence d'un ensemble humain à travers le jeu des rapports de commandement/obéissance institués et fonctionnant en vue du bien commun.

Cette définition met en cause trois réalités essentielles

✓ La politique est ce qui a trait à l'ensemble, l'englobant, à ce qui relève de la totalité.

✓ La politique est faite d'une relation de commandement/obéissance, qui implique la subordination des hommes à des règles, des valeurs.

✓ Enfin, la politique se définit par la poursuite du bien commun, du bien suprême, comme synthèse du bien de toutes les communautés subordonnées.

La notion de politique appliquée à la GRH

– La notion de politique désigne donc une réalité fondamentale inscrite au cœur de toute entreprise, c'est elle qui rend possible l'entreprise en tant qu'entité globale, organisant la coexistence des différents groupes partiels et de leurs activités, et assumant le lien de collaboration et de conflit que cette coexistence comporte.

La complexité et l'hétérogénéité de la relation de pouvoir au sein de l'entreprise peuvent expliquer en partie la dimension politique que doit recouvrir la fonction GRH pour permettre l'articulation de la GPE à la Formation.

Cette hétérogénéité concerne tout à la fois les acteurs, les intérêts, les aspirations, les finalités, les stratégies, les compétences et les qualifications.

La relation de l'entreprise ne consiste plus en un équilibre des prestations réductibles à des quantités harmonieuses, l'entreprise apportant sécurité, égalité... et le salarié assurant fidélité et coopération aux objectifs stratégiques poursuivis.

Il y a en réalité une complexité et une hétérogénéité qui impliquent l'ambivalence dans la dépendance de l'entreprise ayant besoin des salariés et inversement : dialectique complexe d'échanges qui fait de la fonction GRH une instance d'homogénéisation et de régulation cohérente.

C'est là, précisément, que s'inscrit la dimension politique de la fonction GRH, que nous entendons de la manière la plus large comme l'instance garantissant cette création, cette prise de conscience, ce choix, selon les trois critères inhérents à la politique (englobant rapport de commandement/obéissance, poursuite du bien commun) ; autrement dit, ce par quoi l'entreprise existe, a conscience d'elle-même, se choisit, se crée et se perpétue.

2.1.2. *Les implications de la vision politique*

La fonction GRH de par sa dimension politique est amenée à repenser le salarié : celui-ci est alors perçu comme étant mécontent de ce qu'il est et de ce qui est, il veut autre chose.

Or, pour la fonction GRH classique, le salarié doit être défendu contre lui-même ; vision pessimiste où le salarié pense mal ou ne pense pas du tout, la hiérarchie devant penser pour lui, à sa place, mais aussi dans son intérêt.

Les accords de GPE et d'articulation avec la Formation, contestent cette vision parce que d'une part le salarié peut être aussi celui qui sait ce qu'il veut, celui qui veut le bien, non seulement le sien, mais également celui de l'entreprise, d'autre part, ces accords, de manière explicite, considèrent que le salarié peut être éduqué pour augmenter et diversifier ce qu'il peut réaliser.

Ainsi, la dimension politique de ces accords et celle de la fonction GRH, fait prendre conscience à l'entreprise que le salarié détient une « capacité d'inauguration », c'est-à-dire que le salarié est doué d'imagination, d'une capacité de mobilisation, d'apprentissage.

La dimension politique de la fonction GRH conduit l'entreprise à se penser différemment

La fonction GRH, à travers sa dimension politique, fait prendre conscience à l'entreprise que cette dernière n'est pas soumise à un déterminisme, mais à des déterminations. Elle dénonce alors, la « folie de la raison », c'est-à-dire l'idée dominante qui fait que l'usage de la raison devrait donner une réponse à toutes les questions.

Les accords de GPE, par leur articulation avec la Formation, proclament ainsi la capacité à innover et à se transformer plus importante et plus décisive que la capacité à rationaliser.

D'autre part, la logique du « combat », de l'affrontement est irréductible à l'entreprise : combat pour posséder le pouvoir, le conserver ou l'influencer, combat pour la définition des objectifs, du sens et plus globalement pour la définition de la stratégie, combat pour faire prévaloir ses intérêts, ses aspirations, parce que l'entreprise est plurielle, qu'il ne peut y avoir convergence nécessaire entre les intérêts de tous et qu'il y a toujours rareté des moyens et des ressources.

Or, la dimension politique conférée par ces accords à la gestion de l'emploi désire en finir avec cette vision combative, cette vision clivée de l'entreprise, aux rapports antagonistes : il y a dans ces accords la volonté de rassembler les parties dans une vision commune et solidaire de leurs intérêts respectifs.

Ainsi, le passage de la dimension traditionnelle de la fonction du personnel à une dimension politique permet d'abandonner la dialectique Fin/Moyen et de dépasser la dichotomie utilitarisme/culturalisme.

La fonction politique de la GRH conduit à dépasser l'antagonisme classique entreprise/salarié

La Fonction Personnel traditionnelle considère le salarié comme divers, imprévisible, en rupture, en dissociation et en discontinuité. L'entreprise quant à elle cherche à préserver le pouvoir, procède par affirmation, recherche la soumission, l'approbation, a besoin d'unité, de cohérence et de continuité.

Cette vision apparemment contradictoire, induirait une logique Fin/Moyen que la vision politique de la gestion de l'emploi conduit à dépasser, en rejetant par là-même la dichotomie utilitarisme/culturalisme.

En effet, il existe dans l'histoire de la sociologie des organisations, deux modèles apparemment contradictoires.

• Le premier que l'on qualifie « *d'utilitariste* » (démarche analytique parce qu'elle met l'accent sur les composantes du social), voit le système social comme un affrontement d'intérêts entre les divers acteurs, ceux-ci étant supposés intelligents, rationnels et calculateurs. On ne parle alors que d'intérêts réciproques, de conventions, d'alliances ; les conflits de valeurs n'étant que des conflits d'intérêts entre rationalités différentes.

• Le second modèle, qui est qualifié de « *culturaliste* » (démarche holistique parce que voyant l'entreprise comme un tout) montre au contraire que les valeurs culturelles transcendent les enjeux de pouvoir et d'intérêt. Certes il peut y avoir des confrontations entre les acteurs car la culture d'entreprise est un enjeu, une source d'affrontements potentiels, mais sur fond de conflits de valeurs.

Apparemment l'antinomie entre culturalisme et utilitarisme et plus largement l'antagonisme entreprise/salarié, est incontournable, or, c'est là précisément que s'inscrit la dimension politique de la fonction GRH que les accords de GPE sous-entendent en établissant un lien entre la GPE et les Plans de formation.

Cette gestion politique de l'emploi dans l'entreprise par l'articulation entre GPE et Formation met donc en évidence que l'utilitarisme ne peut à lui seul fonder les conditions d'une vie en entreprise. Pour rendre compte des multiples formes de coopérations sociales, il faut également des principes de nature culturelle (valeur morale de dimension politique).

C'est là qu'apparaît la fonction GRH à travers la dimension politique, dans la mesure où les ajustements conjoncturels d'intérêts ne suffisent plus. L'existence d'incertitudes ne permet pas de considérer seulement l'approche utilitariste, mais sollicite l'établissement d'un « pacte ».

La dimension politique de la GRH souligne l'interaction entre le jeu des acteurs et la culture d'entreprise, l'un conditionnant l'autre par causalité circulaire et conduit ainsi à dépasser l'antagonisme classique entreprise/salarié en rejetant la dichotomie utilitarisme/culturalisme. La dimension politique permet de définir l'existence d'une *responsabilité partagée*, d'une *coresponsabilité*.

L'apparition d'une dimension politique de la gestion de l'emploi et de la fonction GRH par l'articulation entre la GPE et la Formation implique, nous venons de le voir, une modification par l'entreprise de sa conception de ses ressources humaines d'une part, une modification de sa propre conception d'elle-même d'autre part, et un abandon de l'antagonisme entreprise/salarié.

Quelles sont alors les « utilités » de cette gestion politique de l'emploi, telles que nous pouvons les comprendre à travers la nécessité exprimée par les accords de GPE d'articuler la GPE à la Formation ?

2.1.3. *Les différentes utilités d'une gestion politique*

L'utilité quant aux salariés

L'articulation entre la GPE et la Formation contenue dans la gestion politique de l'emploi, peut aider le salarié à se situer par rapport au pouvoir en écartant deux attitudes extrêmes : le refus systématique et la soumission inconditionnelle. Naturellement, le salarié ne décide pas entièrement de ses attitudes dans l'entreprise.

En effet, la dimension politique que revêt la fonction GRH permet d'exclure les modes autonomes et « agentiques ».

Dans le cadre autonome le salarié pense et agit pour lui-même, en réponse à ses seuls besoins et aspirations propres. En état « agentique », l'individu ne se perçoit plus comme l'auteur de ses actes, mais comme l'agent chargé d'exécuter la volonté d'un autre.

Certes, la « dimension politique du contrat d'emploi » reconnaît la nécessité de l'obéissance : l'entreprise ne pouvant pour chaque décision particulière au coup par coup en quelque sorte, venir peser le pour et le contre et marchander son adhésion ; l'obéissance est postulée à l'avance car le pouvoir doit faire exécuter au présent, et il ne peut le plus souvent, chercher à convaincre tout le monde avant de décider (il lui faut, confronté aux sollicitations du réel, trancher).

Mais cette obéissance, cette acceptation est liée en particulier, à la possibilité qu'il a de participer (participation à l'évaluation des compétences acquises, participation à l'évaluation des compétences requises, et enfin participation à la réduction de l'écart par les formations qui lui sont proposées).

Utilités quant à l'entreprise

La gestion politique de l'emploi par l'articulation entre la GPE et la Formation permet à l'entreprise :

– d'utiliser et de contourner la logique de rapport de force de toute culture d'entreprise.

Nous pouvons dire que toute culture d'entreprise connaît la réalité de la lutte, soit elle cherche à la contenir, soit elle l'excuse, mais l'entreprise est combative dans sa réalité.

Le rapport de force constitue la vie sociale, où sans cesse des forces opposées s'affrontent, toute idée suscite son contraire, toute offensive une contre-offensive. Il n'y a pas de stabilité, c'est-à-dire de situation définitivement acquise.

Cette *logique de rapport de force* s'explique principalement par *trois raisons :*

1) d'une part, parce que l'action du pouvoir se définit par rapport à des valeurs et non par rapport à des vérités incontestables, d'où une instabilité provoquée par un manque (toute décision qui s'inspire d'une valeur en néglige d'autres, elle se prête donc à la critique et porte en elle une virtualité de conflit) ;

2) d'autre part, parce qu'il existe une logique de la division (l'hétérogénéité du social, la diversité des valeurs, des intérêts,

des aspirations… sont évidemment des facteurs de rivalité dès l'instant où il n'existe pas de solution qui en permette la synthèse, de sorte que certains sont toujours sacrifiés à d'autres) ;

3) enfin, parce qu'il existe également la logique de la domination (le pouvoir se sent menacé par le temps qui passe, par le fait qu'il ne peut jamais s'appuyer sur l'unanimité des salariés).

Le désir d'une plus grande puissance est aussi celui de rechercher un moyen de réduire sa vulnérabilité.

Mais, la gestion politique de l'emploi utilise et contourne cette logique « combative ». En effet, la fonction GRH à travers sa gestion politique de l'emploi exprime l'idée que s'il y a affrontement c'est parce qu'il existe simultanément une solidarité : on s'oppose parce que l'on a quelque chose en commun, on s'affronte car on désire la même chose, parce que l'on est impliqué dans la même structure, parce que l'on est solidaire d'un même destin.

Si l'antagonisme était radical et exclusif, il n'y aurait pas de rapport du tout, entre l'entreprise et le salarié et donc pas d'affrontement.

On retrouve l'ambivalence de tout rapport social qui n'est jamais univoque, toujours équivoque : ainsi l'appartenance de chaque salarié en tant qu'être social à un tout (l'entreprise) qui le dépasse, le rend solidaire de ce tout, en même temps que sa propre particularité comme individu, le rend différent de tout.

La gestion politique de l'emploi par le biais de l'articulation entre GPE et Formation permet de comprendre cette ambivalence, de la résoudre non par des outils d'ordre « taylorien », mais par la discussion, l'écoute dans la mesure où elle permet à chacun d'échapper à sa particularité en même temps qu'elle fait comprendre à l'autre que son point de vue n'est pas unique.

L'entreprise en articulant la GPE à la Formation confère à la fonction GRH une dimension politique : l'utilité qui en découle aussi bien au niveau des salariés que de l'entreprise, a montré le rôle majeur de la compréhension, de l'écoute, de l'engagement, de la responsabilité partagée… mais plus encore, articuler la GPE au Plan de Formation revient pour les entreprises à reposer la question du sens et à trouver sa solution dans la diversité.

En quoi consiste la question du sens ?

– *la création d'un sentiment d'appartenance*. Il semble que l'on assiste à un affaiblissement des valeurs et du sens de l'entreprise en tant que collectivité. Il y aurait donc un recul de la vision globale du sens au profit des valeurs de l'efficacité locale et immédiate.

L'articulation entre la GPE et la Formation désire recréer un sentiment d'appartenance à l'entreprise en faisant de l'entreprise une réalité destinée à être continuellement constituée, l'entreprise requérant l'action.

La solution à cette question du sens se trouve dans la diversité.

– en effet, envisager la jonction GRH à travers une dimension politique, revient à considérer que le refus de la diversité fait obstacle à l'unité.

L'articulation entre GPE et Formation nous renvoie à deux questions essentielles :

a) l'unité doit-elle être contre toute division ou à travers la division ?

b) l'entreprise doit-elle accepter la diversité comme étant nécessaire à l'unité ou la refuser, la considérant comme nuisible ?

L'organisation taylorienne considère que, de par leur individualité propre, les salariés menacent l'entreprise.

Refuser la diversité c'est faire prévaloir la logique de l'entreprise en ce qu'elle incarne la perfection face à l'imperfection de ceux-ci.

La primauté de l'entreprise s'explique selon la théorie classique du management, car elle réalise l'unité de volonté et d'action, exprimant la permanence face à l'intermittence des individus. Le salarié peut être perçu comme éphémère, un moment parmi la continuité du vécu qu'incarne l'entreprise. Enfin, il convient de rappeler que l'entreprise incarne la vérité historique et le destin collectif.

Il en résulte logiquement une subordination de ce qui est supposé imparfait (le salarié) à ce qui est parfait (l'entreprise).

L'entreprise, par cette logique de subordination, incite chacun à renoncer à sa particularité pour se fondre en elle-même : il s'agit là de l'intégration par la soumission ; s'il y a résistance, alors la soumission prend la forme de l'exclusion. Le refus de la diversité fait donc obstacle à l'unité.

Au contraire, *la fonction politique de la GRH montre que c'est l'acceptation de la diversité qui engendre l'unité.*

L'expérience a montré que l'obsession d'unité, non seulement débouche sur son contraire, mais plus encore, met en cause l'existence même de l'entreprise (aggravation des divisions…).

La crainte de la diversité représente en réalité la crainte que l'entreprise a d'elle-même : pour fuir une réalité complexe, insaisissable, l'unité incarnant la perfection est un refuge ; ainsi l'entreprise risque de se pétrifier et donc s'avérer incapable de s'adapter aux transformations du réel.

Articuler la GPE à la Formation induit un changement de procédé : pour échapper à ce danger, l'entreprise consent à ne plus être parfaite, mais sûrement espérer peut-être le devenir, autrement dit, accepter l'évolution.

Ainsi, l'articulation entre GPE et Formation apparaît comme le moyen de penser son évolution.

La diversité n'apparaît plus pour l'entreprise comme aussi inquiétante, car elle réalise qu'elle est la condition inévitable par laquelle son évolution s'accomplira : le salarié par cette prise de conscience de l'entreprise est amené à faire appel à son intelligence, à sa capacité d'innovation, d'engagement ; c'est à ces initiatives que seront dues toutes les formes de progrès.

Quittant l'entreprise « close » dans laquelle l'individu était entièrement subordonné, l'articulation entre GPE et Formation permet au salarié de s'affirmer et d'être reconnu comme ayant une valeur en soi.

Il apparaît alors que le jeu de la diversité n'entraîne pas l'éclatement de l'entreprise, mais sa création ou du moins sa survie.

- Penser la fonction GRH, à travers une dimension politique, C'est-à-dire articuler la GPE à la Formation, c'est en réalité considérer que le pouvoir, la prise de décision n'est pas seulement un système de forces entre équipe dirigeante et salariés ou entre la fonction GRH et les autres fonctions, mais une relation entre des consciences et des volontés.

- Considérer la ressource humaine comme une ressource rare, structurante et organisationnelle implique une véritable conversion des mentalités, des pratiques et des comportements : cela suppose *une rupture avec une certaine conception sécurisante du pouvoir et du commandement.*

L'articulation GPE/Formation nécessite une modification profonde de la culture d'entreprise

---

Les idées clés

La fonction GRH devient un acteur majeur du changement.

Ce changement passe nécessairement par une volonté politique de la direction générale.

Cette dimension politique implique :

➡De nouveaux rapports entre l'entreprise et ses salariés

➡Une nouvelle responsabilité des salariés

➡Un sentiment d'appartenance à l'entreprise pour le salarié et la compréhension de son rôle dans l'entreprise.

2.2. Brefs regards sur la stratégie militaire et une autre conception de la stratégie : la stratégie chinoise

Se poser la question sur ce qui diffère ou rapproche une stratégie militaire d'une stratégie d'entreprise nous paraît essentiel.

(*cf.* l'ouvrage sur le cinéma de Laurent CRETON dont une partie est consacrée à la stratégie d'entreprise)

Cet ouvrage souligne comme un élément fondamental et déterminant du succès ou de l'échec d'une entreprise la qualité de la stratégie :

« l'entreprise fonde sa compétitivité sur des compétences techniques et professionnelles, mais celles-ci ne suffisent pas. Des compétences managériales et stratégiques doivent être développées, et articulées entre elles ».

« le concept de stratégie s'est imposé par analogie entre l'entreprise en situation de concurrence et le général disposant ses troupes sur un champ de bataille ».

Nous voyons bien ici les analogies avec les pratiques militaires, même si elles ne sont pas toujours pertinentes. En effet, si nous reprenons cet archétype d'un général qui étudie les forces en présence, l'état du terrain, les manoeuvres possibles, les conditions de l'engagement, et enfin décide de la stratégie, des étapes de son déploiement et les conditions de mise en œuvre, cela devrait se couronner par une victoire.

Les écrits de stratégie militaire remontent à des périodes anciennes, alors que le corpus consacré à la stratégie d'entreprise ne s'est constitué que dans les années 50, avec les entreprises américaines…

Citons Mintzberg et la façon dont il appréhende le concept de stratégie, selon ses cinq « P » :

« Perspectives de l'entreprise, Positions par rapport à son univers concurrentiel, Planification de ses actions, Pattern (modèle) démarches d'analyse, de décision et de mise en œuvre structurées et cohérentes, Play (manœuvre) coordination des actions pour atteindre les objectifs. »

L'entreprise s'inscrit avec le marché et ses concurrents dans un triangle stratégique fondamental.

La stratégie de l'entreprise peut se définir comme l'ensemble des analyses, des décisions et des actions menées, avec ses caractéristiques propres et son environnement pour orienter sa productivité, adapter ses produits et mobiliser ses moyens en personnel et installations.

La gestion stratégique consiste en la recréation continue du potentiel humain et matériel qui disparaît ou se détériore ou devient inadapté.

Faire de la stratégie nécessite : une aptitude à la pensée analogique, assortie de créativité, de curiosité, d'inventivité et d'imagination ; un état d'esprit qui permet d'intégrer, de relativiser et de dépasser, de l'intuition et surtout du jugement.

Sa première démarche est un diagnostic de situation :

– Identifier les forces et les faiblesses de l'entreprise,

– Identifier ses compétences particulières pour fonder sa stratégie concurrentielle,

– Repérer et analyser les opportunités et les menaces pour mettre en évidence les variables propres au champ d'activités choisi.

À travers l'ouvrage de Laurent CRETON, nous repérons une philosophie de la stratégie d'entreprise appliquée à la filière cinématographique et audiovisuelle qui repose avant tout sur une démarche intellectuelle

Dans nos organisations, nous constatons plus souvent ce type de fonctionnement lié à nos structures et nos modes de pensée en terme de relation de pouvoir. Tentons d'identifier en quoi la stratégie chinoise pourrait nous aider à évoluer vers plus de coopération, plus de partage notamment en terme de savoirs.

Au terme de la rationalisation grecque de l'action humaine, selon le « Traité de l'efficacité » de François JULLIEN, Aristote avait rangé l'art de la stratégie à côte de la navigation et fait intervenir parallèlement le hasard à côté de l'Art.

Venu de très loin, de Chine, nous découvrons une autre conception de l'efficacité, car si ce concept est partagé par tous, la différence ne réside que dans la voie empruntée, là-bas on apprend à laisser advenir l'effet, à le laisser résulter. « On a beau avoir en mains le sarcloir et la houe, mieux vaut attendre le moment de la maturation. »

Deux notions se trouvent au cœur de la stratégie chinoise : celle de situation et celle de potentiel. Le préalable n'est pas dans la planification mais dans la supputation à partir de l'examen des moyens et des facteurs favorables ou défavorables. Le calcul des rapports des forces vise à cerner la situation sous tous ses aspects, la supputation à évaluer les dispositions et s'adapter à elles. Le conditionnement objectif de la situation l'emporte sur les qualités intrinsèques des individus.

En Chine, une pensée de l'efficacité ne projette aucun plan et n'envisage pas la conduite des actions sous l'angle moyens-fins ni d'une application d'un plan préconçu, mais d'une exploitation des potentiels dans une situation donnée. Toute sa stratégie consiste à faire évoluer la situation de façon telle que l'effet résulte progressivement de lui-même et qu'il soit contraignant, car le potentiel de situation une fois développé, on se trouve en situation de force.

À l'opposé de la stratégie de guerre de Claustwitz, dont le but est d'anéantir l'ennemi, l'ancien traité chinois de Sunzi donne comme principe : à la guerre le meilleur procédé est de garder intact le pays ennemi et de faire basculer ses forces de son côté. Ce n'est pas par bonté d'âme qu'on évite de massacrer l'ennemi mais par souci d'efficacité.

Tandis que l'objectif de la guerre, envisagé sous la forme de l'action directe est la destruction de l'ennemi, sous l'angle de la transformation, elle devient une déstructuration en l'attaquant dans son « cerveau ».

Voilà ce qui donne à réfléchir dans la gestion des conflits résultant des rivalités économiques et culturelles...

Ici, il n'est pas question d'utiliser la stratégie comme moyen de combat, mais de tenter de supprimer la rivalité c'est-à-dire d'amener l'adversaire à aller dans le sens d'intérêts communs partagés. Cela peut sembler relever de l'utopie, ...

Michel CROZIER dans « L'Entreprise à l'écoute » nous invite à négocier différemment, en étant plus à l'écoute de ses clients en sachant les fidéliser par la qualité technique et relationnelle :

« on doit travailler davantage avec des personnels et des clients qui ne sont plus passifs mais ne doivent pas être pour autant être considérés comme des ennemis ou des adversaires à exploiter. Il importe donc de connaître les ressources qu'ils détiennent, non pas pour les leur arracher ni même seulement les contrôler, mais

pour leur permettre de les utiliser de la façon la plus constructive dans la relation de coopération qu'on va développer avec eux ».

Il en est de même avec les concurrents, partant du principe que la stratégie conçue dans le cadre d'un « jeu à somme nulle » est contre-productive, il préconise également :

« ...de créer des occasions et même des zones de coopération qui permettent d'apprendre les uns des autres. Ainsi s'offriront des possibilités de développement dans un système plus large, sans pour autant éliminer ni même amoindrir la compétition, mais en l'orientant vers un – jeu à somme non nulle – (en référence au livre de Rosabeth MOSS KANTER, When Giants Learn to Dance. Mastering the Challenges of Strategy Management and Carreers in the 1990s, New York).

Prenons le cas d'entreprises d'activités proches, au lieu de chercher à concurrencer l'autre par des prix plus bas, il pourrait être judicieux d'essayer d'établir des partenariats, tenter de coopérer ou de négocier différemment afin de respecter les marchés et de se partager les richesses. En terme de comparaison avec l'approche chinoise de la stratégie, ces dispositions sont contraires à nos pratiques de concurrence déloyale et acharnée dont l'impact est loin d'être positif et même parfois, peut être catastrophique...

Il nous semble donc important d'évoluer dans nos mentalités et à l'instar d'autres cultures de penser différemment la stratégie.

Comme le souligne également Michel CROZIER : *« ...Ce qui va compter, ce sont les caractéristiques du système : est-il capable ou non de découvrir et de saisir les opportunités qu'offre la transformation du monde ? Ce seront encore, bien sûr, les investissements matériels, mais aussi de plus en plus les investissements immatériels, c'est-à-dire humains, qui seront la condition de son enrichissement et de son développement.»*

Les idées clés

La qualité d'une stratégie repose sur :

- Prendre en compte les réalités de l'entreprise et ses incertitudes
- Tenir compte des ressources potentielles et des individualités
- Faire évoluer les mentalités
- Respecter les cultures
- Être vigilant dans l'utilisation de « modèle » et l'adapter à une situation évolutive

---

Vous avez dit « **stratégie** » nous répond un responsable du personnel ayant travaillé dans une entreprise de sidérurgie, sur un site de production comprenant 400 personnes. Il tente de me définir ce qu'il entend par cela et en particulier dans le cadre de sa pratique professionnelle d'une part, et de sa vie militaire d'autre part :

« La stratégie recouvre de nombreux aspects, depuis la sélection d'un créneau de production, à celui du site le plus favorable, pour se poursuivre par la mise en place des structures, tant des personnels que des installations, puis par celui des critères de recrutement et le choix des technologies et se continue par leur adaptation permanente par la formation, aux avancées techniques. Ce schéma idyllique se trouve constamment confronté aux évolutions du marché, à l'obligation de compétitivité, aggravée par la mondialisation et les perturbations sociales, internes ou externes qui remettent sans cesse en question le difficile équilibre entre la satisfaction des personnels, celle des actionnaires et des clients.

Militaire, elle se définit par une mission précise à exécuter, dans l'espace et dans le temps, face à un ennemi connu ou supposé, sur lequel il faut d'abord chercher et obtenir le maximum de renseignements, envisager, a priori, toutes les hypothèses d'actions adverses, pour, avec ses moyens propres et le plus souvent des appuis concertés, le neutraliser ou le détruire ».

Ce récit nous intéresse ici car son passage de la vie civile à la vie militaire nous apprend comment la conduite de ses actions a eu un impact sur sa vie quotidienne dans la façon de construire sa vie mais également dans les organisations, dans sa façon de diriger les hommes avec une vision humaine. Commençons par regarder les points de convergences et de divergences, que nous aborderons en premier lieu sur le plan collectif, puis sur le plan individuel. Ainsi, nous essaierons à partir de ces expériences d'en dégager une méthodologie d'approche stratégique en ressources humaines et formation.

Stratégie collective

Dans ce cadre-là nous parlerons de la stratégie développée par une direction d'usine avec son directeur et son équipe de direction. Ce premier aura pour mission de maintenir avant tout la croissance, soit de créer un produit de qualité, compétitif sur le marché… Pour ce faire, il devra faire adhérer son équipe de direction à ses objectifs afin de les faire partager également aux chefs d'équipe et autres salariés. Au début l'art de la tactique pour mener à bien ces opérations s'avère utile surtout quand c'est un premier travail et que nous manquons de références sur lesquelles nous pouvons nous appuyer. Encourager, valoriser les individus en leur rappelant les règles qualitatives qui peuvent sembler contraignantes…

Malgré ces incertitudes, se donner une vision la plus claire possible avec des objectifs mesurables permet d'y apporter des mesures correctives profitables pour la survie de l'entreprise y compris pour les individus.

Stratégie individuelle

Naturellement, chaque individu peut déployer sa propre stratégie, à savoir adhérer ou ne pas adhérer au projet. Cette personne peut avoir eu une expérience antérieure dans le domaine concerné et avoir une stratégie personnelle afin d'être reconnu ou promu à un poste supérieur ; pour d'autres raisons, il peut refuser les ordres de sa hiérarchie. Dans ce cas, il semble indispensable d'écouter cette personne et de connaître ses motivations afin d'éviter tout conflit. Nous voyons bien ici la nécessité de développer une stratégie des ressources humaines afin de permettre à cette personne de se repositionner dans un rôle lui convenant mieux.

2.3. Une approche méthodologique de la stratégie ressources humaines et formation

Posons-nous cette première question : **pourquoi définir une politique** des ressources humaines et faire en sorte qu'elle soit intégrée aux objectifs stratégiques de l'entreprise, au niveau hiérarchique le plus élevé, en l'occurrence la Direction générale ?

Selon cet ancien officier supérieur et nos constats d'aujourd'hui, les entreprises sont confrontées à des facteurs exogènes tels que l'économie mondiale et l'ouverture des marchés internationaux. De plus, leur cotation en Bourse peut induire des conséquences néfastes sur l'existence de l'entreprise. Ainsi, elles sont confrontées à des restructurations, fusions, qui impactent l'organisation tout entière avec des décisions à prendre qui s'avèrent être d'une grande complexité. En effet, la qualité de la décision relève du bon niveau d'information et du juste temps, pour repérer les orientations qu'un dirigeant devra définir sur le long terme, le court ou moyen terme. Par manque de vision à long terme, dans un monde mouvant, les décideurs se sont positionnés essentiellement sur le court terme. Aujourd'hui, il semble que les entreprises ont pris conscience des dysfonctionnements et des parts de marchés perdus pour s'être, peut-être pour certaines d'entre elles, trop diversifiées.

Actuellement, dans de nombreux secteurs, les entreprises ont tendance à se recentrer sur le « cœur de métier ». Prenons l'exemple d'organismes de formation ayant cherché à se diversifier et à élargir l'activité conseil, qui se recentrent sur l'activité principale « formation », même si cette activité nécessite d'augmenter les compétences de leurs formateurs …

Pour ce faire, il est donc indispensable d'avoir une bonne connaissance de ses concurrents, de bien connaître les marchés porteurs et débouchant sur du chiffre d'affaire à court terme mais également d'identifier d'autres marchés porteurs à plus long terme. D'où la nécessité pour l'entreprise de donner une vision claire et objective à ses directeurs opérationnels et à ses managers de proximité afin de définir des objectifs stratégiques réalistes par rapport au terrain local en tenant compte des différences et des actions communes à l'ensemble de la structure.

Le fait de réfléchir ou de donner une vision, permet ensuite de réagir aux fluctuations économiques, sociales et techniques, beaucoup plus rapidement.

Expliquer ce que nous entendons par politique RH nécessite prioritairement d'identifier les enjeux exogènes ou endogènes à l'entreprise et de bien comprendre les facteurs déclenchants des changements inéluctables pour le bon fonctionnement de l'entreprise. Naturellement, des décisions non souhaitées peuvent intervenir pour la survie de l'entreprise. Mais même dans ce cas, faire fonctionner une gestion prévisionnelle des emplois et des compétences s'inscrivant dans un management par les compétences c'est-à-dire au sein de l'organisation tout entière peut avoir une certaine efficience. Actuellement certaines entreprises se donnent les moyens pour rapprocher la Gestion des Ressources Humaines des objectifs stratégiques de l'entreprise et ce, au niveau de décision le plus élevé. Cela, afin d'être le plus proche de la stratégie financière, technique et sociale permettant de donner les orientations qui s'imposent dans un monde où le court terme prend le pas sur le long terme. Certes, aujourd'hui nous parlons de développement durable, mais faut-il encore se donner les moyens d'assurer la pérennité des entreprises, et il nous semble que cela passe également par les hommes et les femmes, créateurs de richesse qui permettent d'accroître la performance de l'entreprise. Les conditions de réussite de ce vaste programme impliquent néanmoins une qualité des décisions managériales dans l'accompagnement de ses salariés à tous les niveaux de l'entreprise.

Prenons l'exemple d'une entreprise qui a bien développé son activité sur le plan national, et a pris des parts de marchés à l'international. Néanmoins, pour rester compétitive, elle a dû automatiser son système de production et optimiser sa gestion informatique pour ses clients internes et externes. Cette nouvelle organisation a eu un impact sur les hommes et en particulier sur les effectifs avec la mise en place d'un plan social. Comme nous le soulignions précédemment, ces mesures sont parfois difficiles à prendre pour une direction des ressources humaines qui a à gérer ce type de décisions, mais elles sont parfois indispensables pour la survie de l'entreprise.

Posons-nous la question : **à quoi sert la « G.P.E.C**. » dans ce contexte ?

En l'occurrence, ce système devrait favoriser la mobilité. Poursuivons notre raisonnement, dans la mesure où des changements de métiers s'opèrent, certains postes nécessiteront de nouvelles compétences, d'autres postes seront supprimés...

À l'issue d'une analyse des postes, il y aura certains individus qui pourront être repositionnés au sein de l'entreprise, d'autres choisiront de jouer sur la mobilité externe en passant par un bilan de compétences et un travail avec un cabinet de reclassement professionnel. Le cabinet pourra aider à consolider et réaliser les projets des salariés en leur faisant prendre conscience de leurs compétences actuelles et de celles qui existaient mais n'étaient pas utilisées.

Pour d'autres salariés, ce pourra être l'occasion de valider leurs acquis expérientiels au sein de l'entreprise et ainsi évoluer dans leur projet professionnel ou encore faire un bilan d'orientation et répondre à une offre d'emploi en interne...

Enfin, cela peut permettre de mieux gérer les départs à la retraite en travaillant sur le transfert de compétences, et ainsi former les personnes susceptibles d'être intéressées par ces postes à pourvoir, les aider à se préparer à ces changements tout en assumant leurs responsabilités en cours. En effet, prévoir des organigrammes de remplacement à trois ans comme des plans de formation triennaux peut être une réponse possible à des demandes de promotions internes.

Pour ces différents exemples, et par expérience, nous préconisons de **définir une politique ressources humaines articulée avec la formation** mais pouvant aller au-delà, et surtout intégrée aux objectifs stratégiques de l'entreprise tout en respectant les différents niveaux hiérarchiques et cela naturellement dans la transversalité. Des décisions stratégiques sont à prendre par la direction générale selon les enjeux et l'impact sur l'entreprise et traduites en objectifs opérationnels par l'ensemble des managers à chaque niveau d'encadrement selon la taille de l'entreprise.

Résumons notre démarche méthodologique pour la mise en œuvre de ce système global.

✓Pourquoi se poser la question sur les enjeux ?

Selon les enjeux, nous n'opterons pas pour la même stratégie. Les orientations qui seront prioritaires à un moment pourront devenir secondaires et vice et versa.

À titre d'exemple, pour rester compétitif sur le marché national, voire mondial, les entreprises pourront décider prioritairement d'investir pour automatiser leur production et de licencier…

Pour d'autres dirigeants, s'il s'agit de conduire le changement dans les organisations par l'impact des nouvelles technologies, le réaménagement du temps de travail, et maintenir une croissance économique, les orientations qu'ils prendront seront définies par ordre de priorités. En effet, ils s'appuieront sur un audit organisationnel et social afin de repérer la charge de travail des services, formeront les personnels dont la fonction l'exige à l'utilisation de l'outil informatique comme les commerciaux, les personnels administratifs tout en menant une réflexion pour changer de mode de management et évoluer vers un travail d'équipe…

Développer la qualité totale en commençant par la satisfaction de l'entreprise en terme de qualité de produits et qualité de service, en passant par la satisfaction de la relation clients fournisseurs pour finir par la satisfaction des salariés, débouchera sur des priorités différentes selon les entreprises, leur taille et les ressources existantes…

✓Pourquoi s'interroger sur une politique « ressources humaines » ?

À l'analyse des enjeux et de l'impact sur l'entreprise, qu'il s'agisse de faire face à la mondialisation ou d'être compétitif par rapport à la concurrence, des décisions stratégiques seront à envisager et les conséquences sur l'organisation seront différentes selon les objectifs :

– Répondre à une pénurie de compétences implique de recruter soit en interne, soit en externe, selon le profil recherché…

– Maintenir les emplois nécessite une possibilité de mobilité interne, ou établir un plan social qui engendre très souvent la mobilité externe… D'autres questions surviennent : doit-on se séparer du personnel, les aider à se réinsérer dans la vie professionnelle ? Quelles mesures prend-on ? Pour mieux répondre à la mobilité interne, il convient de définir les postes de travail et d'analyser les résultats de l'entretien de progrès, pour les salariés s'inscrivant par choix personnel dans un projet de mobilité…

– Réorganiser les structures, reconvertir du personnel, d'où l'importance d'avoir analysé les enjeux, de donner une vision et le sens vers lequel l'entreprise veut aller. Nous définirons la même démarche si la décision retenue est d'augmenter les ressources humaines en compétences.

Naturellement, à l'issue de ces décisions stratégiques, la direction générale prendra des orientations et définira des priorités en tenant compte des éléments pré-cités.

Pour que la politique définie vive, il est indispensable de traduire ces objectifs stratégiques en objectifs opérationnels, et que cela prenne sens, pour les directeurs opérationnels et les managers de proximité.

Pour ces deux derniers points, prenons l'exemple suivant : un dirigeant a défini comme prioritaire de développer un management fondé sur l'initiative, la responsabilité du salarié et réduire les lignes hiérarchiques, cela signifie de développer sur les sites de production le travail en équipe et d'animer des groupes transversaux ; pour que cela fonctionne, il sera également nécessaire de former des facilitateurs, des tuteurs…

✓ Pourquoi mener une analyse de l'existant ?

Comme nous venons de le souligner dans l'ouvrage de Laurent CRETON, il est indispensable de « faire un diagnostic » afin de mener à bien les actions qui découlent de la stratégie préalablement définie. Selon les décisions qui seront retenues par les membres d'une direction générale, nous pouvons être amenés à évaluer les besoins humains pour une équipe ou pour l'organisation dans son ensemble. Prenons l'exemple d'un changement de structure organisationnelle liée à l'automatisation du processus de fabrication. L'équipe chargée de la fabrication des produits subira de fait un changement de métier ; dans ce cas, nous étudierons en priorité le fonctionnement organisationnel, nous essaierons également d'y repérer les dysfonctionnements si nécessaire. Ensuite, nous devrons procéder à l'analyse de chaque poste afin de voir les ressemblances et les différences. Enfin nous envisagerons selon les enjeux du moment, de reconvertir l'ensemble des personnels vers leur futur poste « de technicien de laboratoire »... Le développement des compétences passera selon le cas pour certaines personnes par des tests personnalisés ou un bilan de compétences s'ils souhaitent changer d'orientation... Pour la formation, la direction peut prendre des décisions sur un plan collectif, mais même selon les choix et les possibilités de l'entreprise, le travail sur les parcours individuels s'impose pour avoir les bonnes compétences au bon endroit et au bon moment.

✓ Qui est concerné par le bilan de compétences ? et pourquoi ?

Toute personne exerçant une ou plusieurs fonctions depuis plusieurs années dans la même entreprise peut avoir envie à un moment donné de son existence de faire un point sur sa situation professionnelle et personnelle. Prenons l'exemple d'un technicien qui aura travaillé dans l'industrie chimique, à travers son expérience dans les divers postes tenus, il aura capitalisé des savoirs dont il n'est pas forcément conscient. Réaliser un bilan de compétences pourra lui permettre de repérer ses savoirs, savoir-faire, savoir-être... ; à travers cette analyse des postes tenus, il pourra également repérer comment il apprend... À l'issue de cette synthèse de ses savoirs et de ses principaux domaines de compétences, il aura une meilleure connaissance de ses points forts, de ses points faibles et de ses limites.

Dans le cadre d'une action collective réalisée au sein de l'entreprise, le bilan de compétences permettra au responsable emploi d'identifier vers quel type de métier les compétences du salarié sont transférables…

En conséquence, si le projet professionnel du salarié est compatible avec les objectifs stratégiques de l'entreprise, il se traduira par la possibilité d'une mobilité interne.

Dans le cas contraire, si le salarié a un projet qui ne s'intègre pas dans les objectifs stratégiques, il peut demander à effectuer un bilan de compétences qui est souvent pris en charge par l'entreprise. Ainsi, l'employeur aide le salarié à se repositionner et se réinvestir vers de nouvelles fonctions prometteuses pour lui. Nous rentrons ici dans une négociation de sortie dans la concertation et la confiance pour une mobilité externe.

✓ Pourquoi s'intéresser à l'ingénierie des compétences ?

Selon les enjeux, et les décisions prises par les dirigeants, nous pouvons avoir besoin d'évaluer les compétences d'une équipe voire d'une organisation, car des facteurs d'évolution se sont produits : l'introduction des nouvelles technologies qui impactent les compétences, la gestion de la pyramide des âges par le jeu d'équilibre entre les seniors et les juniors… Pour ces différents exemples, il nous semble indispensable de faire ce diagnostic en essayant de repérer dans les familles professionnelles d'emploi, les différents postes existants.

Il convient ensuite d'analyser les écarts entre les compétences requises et les compétences réelles du salarié. Pour aller plus loin dans la démarche en terme de reconnaissance des compétences, l'entretien de progrès doit être analysé afin de vérifier la cohérence avec les objectifs opérationnels fixés et le choix de mobilité du salarié selon les orientations convenues avec sa hiérarchie.

L'accompagnement pour mener à bien ces actions consiste à construire un référentiel de compétences qui est un constat des compétences communes des métiers par familles d'emplois. Il peut aussi être utile si nous souhaitons capitaliser les savoirs de l'entreprise ou orienter les individus vers une validation des acquis expérientiels. Ce référentiel peut être également utilisé pour évaluer les acquis après une action de formation. Cependant, il est recommandé de prendre en compte et de suivre les demandes de formation individuelles et collectives en les reliant à l'entretien annuel.

✓Pourquoi mener une ingénierie de formation ?

Comme nous venons de le voir précédemment, pour l'ingénierie des compétences, il s'agit davantage d'identifier les besoins en compétences. La précédente démarche s'articule bien avec celle-ci dans le sens où il est question d'étudier les besoins en formation. En effet, nous pouvons avoir identifié de nouveaux besoins pour les postes existants, pour les postes supprimés ou menacés et émergents. L'analyse de ces changements liés aux nouvelles technologies, à de nouvelles structures organisationnelles, à un nouveau management… et la formation qui en découle, dépendent avant tout des objectifs stratégiques préalablement définis et des conditions économiques favorables ou non. Pour les dirigeants ayant fait le choix d'investir en formation, ils commenceront à construire un plan de formation avec des formations adaptées à leurs besoins. En fonction de la population à former (managers, enseignants, formateurs, ingénieurs, techniciens, opérateurs…) il convient selon les entreprises et leurs possibilités financières d'investir dans des systèmes de formation complémentaires comme le e-learning (auto-formation, formation à distance, télétutorat…). L'évaluation pour mesurer les effets d'une action de formation est mise en place en tenant compte de l'entretien de progrès…Enfin, en terme d'ingénierie pédagogique, les moyens sont mis en œuvre pour définir clairement les objectifs pédagogiques, déterminer les programmes et le déroulement des séquences de formation ainsi que créer les supports pédagogiques adéquats.

✓Pourquoi parler recrutement ici ?

À ce stade, nous voyons bien qu'il fait partie du processus de gestion des compétences. En effet, si nous sommes dans le cadre de recrutement interne, nous procéderons à l'analyse des résultats de l'entretien de progrès, analyserons les postes à pourvoir en tenant compte du parcours individuel du salarié. Si nécessaire, et selon le poste à pourvoir, nous pourrons faire passer des tests d'aptitude à tenir le nouveau poste ou mettre la personne en situation réelle et lui faire réaliser une période d'essai…

Imaginons un autre scénario : nous n'avons pas les compétences en interne et les décisions managériales en matière d'investissement formation pour le salarié sont négatives, nous pourrons recruter en externe soit par voie d'annonce ou contacter les réseaux écoles d'ingénieurs, universités, écoles… Comme toute procédure de recrutement, le responsable mènera des entretiens d'embauche, fera passer des tests et fera un rapport des compétences du candidat. Enfin, la décision sera prise en étroite concertation avec le hiérarchique du service pour l'affecter ou non au poste.

✓ La gestion des compétences : outil de mobilité au service du management ?

Selon les choix stratégiques et les décisions prises par les dirigeants pour leurs salariés, les directeurs de ressources humaines pourront mettre en place la mobilité interne qui peut être aussi un outil de motivation en terme de promotions ou de mutations. Considérons que le recrutement interne puisse se réaliser, le processus décrit ci-dessus reste valable. Prenons l'exemple d'une entreprise ayant à reconvertir son personnel, s'il y a eu anticipation sur les besoins en terme d'emplois à pouvoir dans les trois ans à venir, cela permettra au responsable des ressources humaines de jouer sur les mutations ou les promotions internes. Naturellement, cela suscite également la prise en compte des formations à mettre en place si nécessaire, pour répondre aux conditions exigées pour tenir le futur poste.

À l'inverse, si les dirigeants décident de recruter en externe, le processus correspond à ce que nous avons décrit précédemment. Cependant, dans le cadre de la mobilité externe, ils peuvent être favorables à faire réaliser un bilan de compétences pour un groupe d'individus (ou une personne selon le cas) afin de les aider à se réinsérer dans la vie active. L'entreprise peut également participer au développement de leurs compétences par le biais de la validation des acquis expérientiels…

Nous sommes ici dans le cadre de la mobilité externe avec l'aide au reclassement afin que l'individu puisse reconstruire un nouveau projet professionnel.

2.4. L'intégration de la fonction GRH à la stratégie de l'entreprise

Traditionnellement subordonnée, en particulier au niveau stratégique de l'entreprise, l'articulation entre GPE et Formation nécessite une intégration de la fonction GRH à la stratégie.

2.4.1. *De fortes résistances au changement*

Or, on constate que cette intégration est une réalité encore nuancée dans la majorité des entreprises.

Certes, il y a une unanimité des attentes (universitaires, enquêtes, professionnels) mais deux raisons principales expliquent les difficultés rencontrées.

• *La première tient aux réticences de l'ensemble des catégories de l'entreprise.*

– La Direction Générale y est certes favorable, mais cette acceptation demeure plus théorique que réelle, un effet de mode, une volonté de rehausser l'image de marque de l'entreprise, la Direction Générale ne voulant le plus souvent qu'un facilitateur à discrétion.

– Concernant les cadres opérationnels on peut dire que leur formation initiale, largement technocratique les conduit à être attachés à un système hiérarchique et individualiste.

Ce changement leur apparaît dangereux, peur de l'ombre, idée de concurrence : ils conçoivent la fonction GRH comme une compétence à disposition, ils se considèrent comme les seuls détenteurs de la productivité de l'entreprise.

– Quant aux responsables de la fonction GRH, mais aussi de la fonction Formation, ils sont guidés par l'envie et la crainte.

Crainte, car ils considèrent que le climat interne de l'entreprise n'est pas favorable à la réalisation d'une telle mission, qu'il y a un fort attachement au modèle traditionnel et surtout que cela entraînerait une transformation profonde de leur rôle et de leur place, qui leur paraît inquiétante, même si elle est attractive.

Envie, car ils savent que leur propre avenir comme celui de l'entreprise passe par cette nouvelle ambition : volonté de démontrer qu'ils contrôlent une zone d'incertitude majeure pour l'avenir de l'entreprise.

En définitive, il existe certes un consensus sur la nécessité d'intégration stratégique, mais de fortes résistances aux changements existent, nous y reviendrons.

- *La seconde raison tient principalement à l'imprécision du concept de stratégie en GRH.*

La fonction GRH comme « stratégique » ne peut être définie seulement par le degré de cohérence des pratiques de la fonction GRH avec les décisions stratégiques mais aussi et surtout, par le degré de contribution réelle aux décisions stratégiques.

Or, on constate que l'approche structurelle est plus répandue que l'approche s'intéressant au processus d'intégration.

Quand on examine la présence du responsable de la fonction GRH au Comité de Direction (approche structurelle), on s'aperçoit que plus de 80 % des DRH sont présents : il s'agit là d'un premier signe de l'intégration, signe nécessaire, mais insuffisant.

Concernant l'approche par le processus, elle s'intéresse aux modalités concrètes de la participation de la fonction GRH, aux prises de décisions stratégiques où le DRH est considéré comme véritable « business partner » susceptible d'influencer activement les décisions stratégiques. Une enquête de la CEGOS effectuée en 93-94 auprès de DRH montre que 51 % seulement des DRH participent véritablement au processus stratégique.

On constate donc, que l'intégration de la fonction GRH dans la stratégie de l'entreprise se traduit par une intégration structurelle et dans une moindre mesure, par une participation active au processus stratégique ; la participation du DRH au Comité de Direction ne garantit pas sa participation effective.

Ainsi, dans un grand nombre d'entreprises, la GPE et son articulation à la Formation ne semblent pouvoir se réaliser par l'incapacité évidente de reconnaître à la fonction GRH une dimension suffisamment stratégique.

Dans les entreprises auxquelles les articles consultés font référence, les accords de GPE et leur articulation avec le Plan de Formation reconnaissent à la fonction GRH, non seulement une position stratégique, mais également une dimension politique.

Peut-on dire alors qu'il y a véritablement un changement de culture d'entreprise et quels sont les principaux freins au changement culturel ?

Prenons l'exemple de l'accord A. CAP 2000.

Cet accord correspond à ce qui est appelé la logique « compétence ». La logique « compétence » revient à évaluer successivement les compétences requises par les différents emplois de l'entreprise, avec une démarche d'anticipation permettant de connaître les compétences nécessaires aux emplois futurs, et les compétences des salariés présents dans les effectifs actuels.

Cet écart détermine les actions de Formation et de mobilité nécessaires à l'adéquation entre emplois et salariés : La Formation, particulièrement encouragée par cet accord, devait avoir pour effet d'accroître les compétences des salariés, et partant, d'améliorer les performances économiques de l'entreprise ; l'emploi comme variable d'ajustement laissait la place à l'emploi, variable stratégique.

Or, le retournement de la conjoncture observé à cette période fait en réalité, à l'inverse des termes même de l'accord, de l'emploi, une variable d'ajustement ; ainsi l'articulation entre GPE et Formation, consiste à revenir à la logique de flexibilité externe (l'articulation permet d'éviter les licenciements de modernisation et n'évite pas ou très peu les licenciements d'une conjoncture normale à une conjoncture mauvaise) d'une part, et d'autre part revient parfois à accroître les capacités des salariés qui quittent l'entreprise.

La Formation aboutit alors à une logique de reclassement externe, par l'accroissement de l'employabilité future du salarié, sans pour autant élever le niveau de compétence globale de l'entreprise.

B. GAZIER définit l'employabilité comme l'appréciation par l'employeur des capacités productives d'une personne, dans la mesure où elle n'est pas entendue dans une logique interne, mais dans une logique de flexibilité externe.

Le nouveau rôle des syndicats peut être un frein

La nature politique de la gestion de l'emploi signifie que le management est aussi l'affaire des syndicats : idée de réciprocité loyale (engagement des salariés et syndicats, possibilité de s'adapter et d'évoluer professionnellement favorisés par l'autre (entreprise), volonté de donner une plus grande responsabilité… .

En réalité les informations que les accords prévoient de fournir aux syndicats semblent souvent insuffisants et en décalage par rapport à l'ambition de la relation. D'autre part, les accords de GPE ont assez peu développé des aspects juridiques ; ils contiennent plus des principes généraux incantatoires que des fragments de règles (exemple : le crédit formation pour le GAN).

Pour les syndicats ouvertement opposés à la GPE, l'absence de configuration juridique constitue une preuve que l'employeur ne compte pas tenir les engagements très généraux qu'il assure être les siens en matière de formation, de mobilité.

Pour les syndicats favorables à la GPE et pour la direction générale, l'atténuation des règles juridiques s'explique par le fait que trop de droit ne pousse pas le salarié à se remettre en cause…

On peut également ajouter que l'atrophie juridique se double, par ce que LASCOUNES, dans « *Normes juridiques et politique* », appelle « une régulation par le bas ». En effet, les accords de GPE étant très souvent définis de manière centrale (exemple : A. CAP 2000), les acteurs chargés de l'application concrète d'une norme ont tendance à en modifier le contenu par la création de normes secondaires, ce qui affaiblit le travail des syndicats.

En outre le travail du législatif et du juridique montre les difficultés qu'éprouvent les organisations syndicales à établir des règles juridiques visant à articuler la GPE à la formation.

En effet, LYON-CAEN dans « *Le droit et la gestion des compétences* » explique qu'il existe dans le droit du travail (légal et conventionnel) une « ignorance traditionnelle » par rapport aux compétences ainsi qu'une « liaison traditionnelle statique » entre la qualification et le droit, il ajoute qu'un phénomène de rattrapage apparaît, il parle de « sensibilité nouvelle du droit ».

Ainsi, peut-on constater que les avancées sociales dans l'articulation entre GPE et Formation, proviennent davantage de l'intervention du législateur.

➤ loi du 2 août 1989

➤ la Cour de Cassation a posé le principe d'une véritable obligation à l'adaptation professionnelle des salariés : « l'employeur, tenu d'exécuter de bonne foi, le contrat de travail, a le devoir d'assurer l'adaptation des salariés à l'évolution de leur emploi par la Formation professionnelle continue ».

Ainsi, le rôle des syndicats dans l'articulation de la GPE à la Formation semble limité. Ils trouvent dans les négociations simplement ce qu'ils recherchent, c'est-à-dire un rôle et des signes d'existence, même minimes.

Pré-requis du professionnalisme de la fonction Formation

L'offre de Formation dans les entreprises est le plus souvent une offre en adéquation aux emplois existants, confortant l'existant et préparant peu à l'avenir : il y a adéquation quasi mécanique entre formation dispensée et emploi occupé, autrement dit, correspondance étroite entre le poste de travail actuel et le développement des connaissances et des savoir-faire.

Pour l'articulation entre GPE et Formation, l'adéquation est nécessaire mais insuffisante : il est donc nécessaire de mettre en place de nouveaux dispositifs de formation en parallèle ou en relais avec les dispositifs existants.

Ainsi, l'articulation entre la GPE et le Plan de Formation conduit à dégager plusieurs types de formations où l'offre n'a pas pour but l'existant mais la préparation de l'avenir.

– *les formations reconversions :* les requalifications d'un métier à l'autre

Elles concernent les populations qualifiées aujourd'hui dans des emplois ou des métiers en obsolescence.

– les formations de relèvement du niveau des connaissances : les adaptations préalables aux requalifications

Elles concernent les populations qualifiées dans des métiers et emplois en obsolescence rapide et complète et qui ne peuvent s'engager dans une formation reconversion sans adaptation préalable. Il s'agit d'une remise à niveau des connaissances (rôle de culture générale…), réactivation mentale, déblocage psychique par rapport à l'acte d'apprendre.

– les formations diplômantes :

Elles apparaissent comme un moyen efficace pour augmenter globalement et par anticipation la qualification du personnel et ses possibilités d'adaptation.

L'articulation entre GPE et Formation nécessite donc le maintien d'une formation technique de court terme, mais également et surtout le développement de formation adaptation, de formation reconversion et de la formation diplomante.

En outre, un renouvellement des modes éducatifs est demandé à la fonction Formation.

On constate une diminution de l'offre de Formation classique (séminaire en salle) au profit d'une Formation différente (stage inter services, formation action…).

La Formation par son articulation à la GPE nécessite donc un effort vers un nouveau professionnalisme, de nouvelles exigences en matière de contenu et de modes éducatifs afin de pouvoir répondre à la définition des « compétences types » définie par la GPE.

On constate certes une baisse de la conflictualité, c'est-à-dire une volonté de voir l'entreprise se réconcilier avec les salariés et les syndicats (nouveau modèle où plus de responsabilité et de maturité sont demandés).

– Mais il convient de distinguer les principes généraux et leur application.

Ainsi, au clivage traditionnel entre la ligne hiérarchique et le personnel, apparaît une nouvelle opposition entre responsable au sommet et les bases opérationnelles.

D'autre part, les syndicats par leur désir d'être présents dans les négociations des accords GPE, entretiennent l'illusion d'une présence « combative ».

De ce fait, l'articulation entre GPE et Formation fait naître une opposition de la part de l'encadrement, ne comprenant pas le nouveau rôle qui leur est attribué, mais également une opposition du personnel pour qui les syndicats ne jouent plus leur véritable rôle (absence de contre pouvoir).

L'articulation entre GPE et Plan de Formation par la nécessité et la reconnaissance de son application mais aussi par les difficultés et l'impossibilité d'être appliquée fait naître espoir et déception, nouveauté et retour en arrière. Les repères sont alors bouleversés.

Cependant, pour impulser ce changement stratégique pour l'entreprise, des outils et des méthodes s'avèrent nécessaires.

Les idées clés

La formation devient un enjeu stratégique pour l'entreprise.

La formation doit s'intégrer dans tous les processus d'accompagnement du changement.

Les formations peuvent prendre différentes formes :

• Formation reconversion

• Formation de relèvement du niveau des connaissances

• Formation diplomante

2.4.2. *Pourquoi et comment pérenniser la G.P.E.C. ?*

À ce jour où nous entendons parler « ruptures » sous toutes ses formes, il nous paraît essentiel d'agir. En matière d'emploi, cela peut se traduire par la création de liens intergénérationels en commençant par les jeunes recrutés et les seniors dont une grande partie sont exclus du monde du travail. Il existe sans doute une surabondance de cadres «quinquagénaires» aujourd'hui, ce sont les conséquences du « baby-boom » des années 50. Cependant, les effets du « vieillissement » de la population dans les prochaines années avec les départs à la retraite, et la « dénatalité », nécessitent d'anticiper sur les emplois à combler et les compétences à développer. Il sera peut-être plus facile de remplacer des managers, mais pour des postes plus spécifiques « métiers » ou autres, deux ou trois années de formation voire plus peuvent s'avérer utiles. Il nous semble ainsi important d'articuler dès à présent une politique des ressources humaines avec la formation mais également de développer une politique de recrutement et de rémunération. Etre dans une démarche prospective de recrutement ou d'accompagnement du changement ne peut être que profitable à tous, à condition que les dirigeants jouent leur rôle en sachant retenir les jeunes talents motivés, impliqués, reconnus « créateur de valeur ajoutée » pour l'entreprise. En effet, avec du personnel compétent et motivé, l'entreprise bénéficiera d'une plus grande réactivité face aux changements d'orientations. Elle sera d'autant plus forte et plus rentable pour innover dans de nouveaux projets.

Faire évoluer l'outil de productivité et l'organisation relève selon notre point de vue d'une nécessité absolue, comme repérer la motivation d'une personne pour tenir un poste. À travers nos constats, quand les individus peuvent travailler avec plaisir, trouver une certaine satisfaction dans la réalisation d'un travail de qualité, avoir un positionnement reconnu, incluant l'aspect financier sous forme de prime, de réaménagement du temps de travail, cela peut contribuer à une plus grande efficacité de l'entreprise…

L'entreprise de demain doit être capable de : satisfaire le « futur recruté » sur le salaire, la promotion, c'est-à-dire, lui permettre d'obtenir une certaine reconnaissance sociale… Les jeunes souhaitent également connaître les perspectives d'évolution et s'inscrire dans un projet de carrière, avoir un suivi et un accompagnement.

Ainsi la qualité du management demeure essentielle…

Le management des compétences doit évoluer avec la double satisfaction des salariés et celle des dirigeants. Ces derniers doivent faire les bons choix pour accompagner leur stratégie de développement et évoluer vers un management par les compétences afin de développer l'employabilité de tous.

Dans un monde en pleine mutation, il s'agit de valoriser les savoir-faire, et d'éviter de mettre à l'écart des personnes dont les compétences doivent être capitalisées notamment celles dont les compétences sont identifiées comme rares ou spécifiques selon les métiers. Il convient de trouver un juste équilibre entre les jeunes et les seniors afin d'impulser une dynamique nouvelle dans la transmission des savoirs, et le partage des connaissances…

La Direction doit impulser le changement. Les managers doivent adopter des attitudes pour piloter le changement, dans le sens de communiquer, former, accompagner. Les partenaires sociaux ont également à aider les Directions à mieux communiquer sur les projets de changements. Enfin le salarié peut comprendre et adhérer au projet, ainsi il devient acteur du changement.

2.4.3. *Les outils et méthodes*

De nombreux outils existent pour évaluer les besoins en formation des salariés. Nous en citerons quelques-uns directement en rapport avec la gestion prévisionnelle des compétences et la mobilité sociale.

- **La méthode d'analyse des tendances :** Les résultats sont trop globaux, peu ou pas reliés à l'activité et à l'évolution de l'entreprise.

- **L'analyse des structures pyramidales de l'effectif** (âge, ancienneté, qualification) s'appuie sur des outils simples et fiables, mais l'information est partielle et trop statique.

- **L'intégration des « mouvements certains de personnel »** (départ prévisible, mutation, promotion). Ces informations sont nécessaires à connaître mais elles ne donnent qu'une vision très partielle des compétences disponibles.

- **Bilan de compétences :** L'accord interprofessionnel du 3/07/1990 et la loi du 31/12/1991 (voir annexes) ouvrent accès au bilan de compétences. Le salarié peut en bénéficier, soit dans le cadre d'un plan de formation, soit dans celui du congé « bilan de compétences ».

➤ Il s'agit d'une action dynamique : la loi la définit comme une action ayant pour objet de permettre aux salariés « *d'analyser leurs compétences professionnelles et personnelles, ainsi que leurs aptitudes et leurs motivations afin de définir un projet professionnel et, le cas échéant, un projet de formation* ».

Cette démarche est à la fois rétrospective (identification des grandes étapes d'un parcours professionnel) et prospective.

- **Bilan professionnel :** Utilisé pour mettre en évidence un ensemble de compétences techniques, sociales, personnelles ainsi que l'expérience.

Un lien est donc établi entre la détection des écarts de compétences, leurs compréhensions et les moyens nécessaires pour maîtriser les besoins de qualifications dans les entreprises.

La loi du 2 août 1991 explicite ce lien :

En effet, la loi du 2 août 1991, associe la GPE à la prévention des risques d'exclusion des salariés âgés et/ou les plus exposés aux mutations économiques.

Dans ce cas, l'employeur doit chaque année présenter un rapport écrit au Comité d'Entreprise sur l'activité et fournir des informations sur la situation économique et financière de l'entreprise.

- la loi de 1989 modifiée par celle du 12 juillet 1990, notifie que le rapport doit contenir des éléments sur la prévision en matière d'emploi et « les actions, notamment de prévention et de formation, que l'employeur envisage de mettre en œuvre compte tenu de ces prévisions, plus particulièrement au bénéfice des salariés âgés ou présentant des caractéristiques sociales ou des qualifications qui les exposent plus que d'autres aux conséquences de l'évolution économique et technologique » (article L 433.1.1 du Code du travail).

- ainsi la loi encourage le recours à des solutions internes, pour permettre l'adaptation des qualifications et une meilleure anticipation de l'entreprise par la formation notamment.

L'approche nouvelle que les entreprises ont envers la GPE, l'association d'outils qualitatifs aux outils quantitatifs précédents, la loi de 1991, montrent que l'enjeu se situe davantage sur le terrain de la compréhension des écarts de compétences, que sur celui d'une démarche exclusivement adéquationniste.

Ainsi, la GPE possède désormais *quatre caractéristiques qui la font se rapprocher de la Formation* et qui permettent de faciliter son articulation au Plan de Formation.

– La GPE possède désormais *un caractère qualitatif* : elle cherche à prendre en compte des éléments qui ne sont pas nécessairement mesurables (exemple : volonté, capacité relationnelle) ; elle ne cherche pas à « prévoir » un avenir unique décrit sous une forme exclusivement quantifiée : définition de compétence type, de compétence à développer.

– Elle se veut *globale*, elle a pour ambition de prendre en compte tous les facteurs d'incertitude qu'ils touchent à l'économie, à l'humain, aux valeurs, aux sens…

– En outre, elle est *rationnelle* : son objectif est d'informer des tendances ou des risques de ruptures, de discontinuité qu'il est possible de déceler par rapport aux objectifs stratégiques et aux compétences actuelles dans l'entreprise.

– Enfin, elle se veut *volontariste*, c'est-à-dire destinée à éclairer l'action et trouve son prolongement naturel dans l'élaboration des stratégies et l'aide à la décision (attitude anti-fataliste).

La GPE par son regard sur l'avenir destiné à éclairer l'action présente marque la complémentarité avec l'outil Formation et sa nécessaire articulation, dans la mesure où la Formation peut se définir comme le moyen présent de préparer l'avenir.

Cette méthodologie s'applique aux responsables des ressources humaines et du développement des compétences, consultants interne ou externe : « accompagnateur du changement ».

Elle se décline en un ensemble de questions.

I/ Quelles sont les bonnes questions à se poser ?

1. Avoir une réflexion stratégique avant de mener ce type d'action.

À quoi ça sert de mettre en place une GPEC « gestion prévision-nelle des emplois et des compétences » ?
– Pourquoi ?
– Dans quel but ?

2. Quels sont les enjeux ?
– Rester une entreprise compétitive : se recentrer sur le « cœur de métier »…
– Développer la démarche de la qualité totale : qualité des pro-duits, des services, satisfaction relation clients-fournisseurs, satisfaction du personnel…
– Réaménager le temps de travail : s'adapter à une nouvelle orga-nisation …
– Conduire le changement dans les organisations : accompagner les managers dans leur nouvelle identité culturelle…
– Etc.

3. Quels sont les acteurs impliqués ?
– La direction générale donne la stratégie de l'entreprise, une vision ou orientation/des objectifs généraux…)
– Chaque direction opérationnelle (à partir des objectifs géné-raux, fixe aux équipes des objectifs opérationnels et concrets avec les résultats attendus et le niveau de performance demandé…)
– L'ensemble des salariés (toutes catégories confondues : employés, techniciens, agents de maîtrise, cadres intermédiaires) ; par déclinaison, la direction informe et/ou aide le salarié à se fixer des objectifs concrets ou définit des objectifs clairs et mesurables pour chaque membre de son équipe.

4. Quels sont les moyens mis en œuvre ? (contrat entre le commanditaire et le consultant)
– Analyser l'existant (les outils mis en œuvre dans le cadre de la direction des ressources humaines et/ou de la formation…)
– En fonction des facteurs de changement identifiés, se mettre d'accord sur : par quoi commencer ? comment ? et avec qui ?

II/ Par quoi commencer ?

1. Analyser les postes tenus : construire un référentiel métier (selon les enjeux et les actions à mettre en œuvre en priorité).

Pour les postes en voie de suppression ou menacés, cela implique l'étude d'une reconversion des personnes.

De façon plus globale, il convient d'analyser les métiers existants au sein de chaque fonction de l'entreprise.

2. Repérer les compétences communes par famille de métiers et aux différents niveaux hiérarchiques, et dans toutes les fonctions « transversales » (hors hiérarchie).

3. Identifier les écarts entre les compétences requises pour tenir le poste et les compétences à réactualiser.

4. Repérer le passage d'un poste vers un autre (capitaliser les compétences individuelles et/ou adapter les compétences actuelles de la personne au poste futur à tenir…).

III/ Comment commencer ?

1. Faire l'inventaire de tous les outils existants au sein de l'organisation :
– Établir les emploi-type ou fonction repère (profils de poste avec les compétences requises pour tenir le poste).
– Décrire le poste ou remplir une fiche de poste (élaborée par la personne qui détient le poste ou avec l'aide de la DRH ou du consultant…).

2. Analyser les écarts et développer les compétences en fonction du poste à tenir et des évolutions techniques et/ou relationnelles.
Mettre en œuvre des actions de formation ou d'accompagnement pour combler ces écarts… (formation individuelle ou collective)…

3. S'il existe un « entretien de progrès » et/ou de « performance » :
– Vérifier la motivation de la personne par rapport au travail confié ou l'aider à réfléchir à son positionnement au sein de la structure et à se former pour renforcer ses compétences si nécessaire.
– Développer de nouvelles compétences en vue d'un changement de poste.
– Prendre en compte la dimension « temps » dans la stratégie de l'entreprise afin de permettre aux salariés de se projeter dans un projet professionnel futur.

IV/ Avec qui commencer ?

1. Selon les enjeux, les acteurs concernés, les compétences à développer, constituer un premier « groupe pilote » avec les personnes suivantes (toutes catégories sociales représentées y compris les syndicats) :
– Une personne des ressources humaines,
– Une personne de la formation,
– Une personne « métier » (selon le type de métier identifié comme menacé),
– Un animateur interne afin de définir les règles du jeu et la manière de travailler (fréquence, résultats, délais, personnes « relais »…).

2. Lors de chaque réunion, formaliser un compte rendu succinct afin de progresser dans les actions à mener…

3. Définir les « personnes relais » à chaque niveau hiérarchique et/ou transversal et favoriser la communication entre les deux parties selon l'importance de la structure…

4. Démultiplier à l'ensemble du groupe dans les grandes structures (établissements, filiales, prestataires de services ou sous-traitants par rapport à l'externalisation…).

5. Conduire le changement avec les membres du service formation et un consultant externe si nécessaire.

V/ Faire fonctionner un dispositif de GPEC

1/ Une gestion du système d'actualisation des postes

Faire un bilan des premières actions menées d'une GPEC réussie avec les outils référencés et en déclinant les étapes du processus utilisé : à partir du recrutement interne ou externe d'une personne, l'identification de ses compétences, la traçabilité de son parcours professionnel à travers la mise en œuvre d'un historique de formation et de son suivi de carrière. Ce système de gestion est informatisé.
L'intention est de faciliter la mobilité interne.

2/ Une gestion des parcours individuels : du recrutement au reclassement professionnel

A. Si le projet professionnel est non intégré aux objectifs de l'entreprise, il faudra s'orienter vers une mobilité externe.

L'intention est de faciliter la mobilité externe.

B. L'entreprise peut aider le salarié à :
– se former, développer de nouvelles compétences,
– faire un bilan de compétences afin de mieux connaître ses possibilités d'évolution,
– valider ses acquis expérientiels,
– …

Les idées clés

Le bilan professionnel et le bilan de compétences sont deux outils qui permettent :
- Au salarié, de définir un projet professionnel et de formation, et ainsi développer son employabilité.
- À l'entreprise, d'identifier les écarts de compétences et ainsi de mieux maîtriser les qualifications.

CHAPITRE 3 Intérêt de la prospective dans une démarche de Gestion des Ressources Humaines

Nous allons montrer en quoi consiste la notion de prospective, afin de mettre en évidence l'intérêt d'une telle approche, sa signification et sa traduction en terme de « prospective des métiers et des qualifications » (GPE).

Nous observerons notamment l'évolution de la GPE, tant au niveau de ses outils, qu'au niveau de son utilisation par l'entreprise.

Cette modification dans l'approche de la GPE qu'ont les entreprises nous permettra de démontrer que la définition de la prospective et ses caractéristiques épousent celles de la formation ; celle-ci sera abordée comme un investissement de gain de temps, un investissement de compréhension.

3.1. Quelques définitions possibles de la prospective

1/ La prospective est un regard sur l'avenir destiné à éclairer l'action présente.

2/ Selon Michel GODET, dans son ouvrage, « Prospective et panorama des futurs possibles d'un système destiné à éclairer les conséquences des stratégies d'action envisageables ».

3/ Enfin, la troisième définition, un peu plus baroque est donnée par Bernard CAZES dans « L'histoire des futurs » : « la prospective consiste à rassembler des éléments d'appréciation, chiffrée ou non, concernant l'avenir, dont le but est de permettre de prendre des décisions grâce auxquelles le dit avenir sera mieux conforme à nos préférences que s'il n'y avait pas eu cet éclairage prospectif. »

3.2. Que pouvons-nous retirer de ces définitions ?

En référence à TALLEYRAND « quand il est urgent, il est trop tard », Michel GODET énonce trois attitudes possibles des entreprises face à l'incertitude :

1/ une attitude passive, celle de l'autruche, de subir le changement…

2/ une attitude réactive : attendre le changement pour réagir…

3/ une attitude prospective, c'est-à-dire réactive et proactive :

– la réactivité consiste à se préparer à un changement anticipé

– la pro-activité consiste à agir pour provoquer un changement souhaitable.

3.3. Pourquoi une entreprise doit-elle avoir une attitude pro-active ?

Patrice LECLERC et Bernard GENTRIC voient dans l'utilisation de la prospective, un moyen de se libérer des certitudes, des inéluctabilités, de l'immuable, de l'intangible, des visions parcellaires : « *toute réflexion stratégique se doit d'éviter une attitude réactionnelle qui se défend contre le présent en justifiant le passé, au lieu d'inventer l'avenir* ».

La prospective permet à la réflexion de se cristalliser en action efficace et donc de structurer la réflexion.

Avant que les choses deviennent contraignantes, elle porte l'attention sur les faits, les phénomènes, les idées les plus significatives au détriment du contingent, du partiel et de l'intérêt immédiat.

La prospective propose plus des conjectures que des certitudes : elle est facteur de rationalité pour l'action.

Pour résumer la philosophie de l'action prospective, Hugues de JOUVENEL précise que pour la prospective, l'avenir est domaine de liberté (c'est-à-dire que la prospective n'a pas pour but de prédire l'avenir, de nous le dévoiler comme une chose déjà faite, mais de nous aider à le construire).

L'avenir est par ailleurs, domaine de pouvoir en augmentant les marges de manœuvre, car agir sous la contrainte c'est tomber dans l'empire de la nécessité, de l'imprévoyance.

Enfin, pour la prospective, l'avenir est domaine de la volonté : SENEQUE disait « *il n'y a de vent favorable que pour celui qui sait où il va* » ; autrement dit s'il n'y a pas de sens futur (finalités) le présent est vide de sens, de signification.

L'action dans le temps court du réel n'a de sens que si elle s'insère dans le temps long du projet car c'est « l'avenir qui est la raison d'être du présent » : le pilotage à vue ne peut tenir lieu de stratégie.

Manager le changement dans le sens du souhaitable requiert une distance adéquate. Apparaît alors la notion du temps et sa confrontation avec le long terme et le court terme : la prospective, c'est sortir de la dictature du quotidien, de l'esclavage de l'immédiat, sans pour autant tomber dans l'illusion du long terme.

Ce qui précède montre les dangers de la réactivité, plus exactement, de la seule réactivité.

Pour Michel KALIKA ou Michel GODET… la seule réaction à une évolution présente ou passée peut apparaître dérisoire, dangereuse ; l'entreprise doit donc développer non seulement des capacités d'adaptation mais aussi des aptitudes à engendrer le changement et par voie de conséquence, à l'anticiper. Ainsi l'entreprise ne doit pas être seulement un réacteur au changement, mais aussi, un « acteur du changement ».

3.4. Conclusions

- *Toute pratique exclusive devient vite abusive* : la réactivité a un sens, si elle ne devient pas une fin en soi (la réactivité étant donc, une réponse appropriée de l'organisation…).

- *Le temps est une variable fondamentale de la stratégie* : plus le projet s'inscrit dans la durée, plus l'intention stratégique peut être ambitieuse, stable, mobilisatrice, cohérente ; cela permet d'être clair et ferme sur les fins pour autoriser le maximum de souplesse, voire d'improvisation sur les moyens.

- *La gestion en temps réel dérive souvent vers une excessive rigidité des moyens.* L'entreprise sollicite différentes figures du temps : le temps stratégique et le temps réactif.

Le temps stratégique, c'est le temps du projet, qui n'est pas réductible au temps de la prévision car il est fondamentalement d'une durée nécessaire à l'accomplissement de la vision tout en s'intégrant dans l'histoire de l'entreprise (porteur du passé et esquisse d'avenir).

La pratique de la prospective reste encore récente et limitée : ACKOFF dans « *Méthode de planification dans l'entreprise* » précise que ce sont les entreprises qui aident à créer le futur qui en profitent le plus pour « faire arriver ». Mais, il ajoute que les plans stratégiques informent davantage les entreprises sur les problèmes d'aujourd'hui que sur les opportunités de demain. Ces plans ne font guère que projeter par extrapolation le présent dans l'avenir.

L'enquête, menée par Jean BALLAND à la demande du Commissariat du plan en 1988, a permis de montrer que la pratique de la prospective est plus répandue dans les grandes entreprises que dans les petites.

L'enquête permet également de constater que la « veille technologique » est le principal thème d'étude prospective (fonction Recherche/Développement). Par contre les approches de long terme et même de moyen terme sont rares en matière de gestion financière et de gestion de personnel.

En effet, la véritable « prospective des métiers et des qualifications » que l'on peut appeler GPRH n'est apparue qu'à partir de 1986/1987. La gestion prévisionnelle qui existait depuis le début des années 70 correspondait à ce que l'on peut appeler « gestion prévisionnelle des effectifs » (JARDILLIER).

Les entreprises se doivent donc d'investir dans la formation pour se projeter dans l'avenir.

Les idées clés

Les entreprises doivent développer une attitude :

- Réactive, c'est-à-dire se préparer à un changement anticipé
- Pro-active, c'est-à-dire provoquer un changement souhaitable
➡ Inventer l'avenir

CHAPITRE 4 La formation : un investissement intellectuel

4.1. Définition

Nous définirons la formation comme un investissement intellectuel de gain de temps, comme un investissement de compréhension.

Comme nous l'avons vu à travers les exposés précédents, les entreprises considèrent de plus en plus la Formation comme un investissement stratégique.

Sans revenir sur ce thème, nous allons montrer que l'articulation entre GPE et Formation ne peut se concevoir qu'en considérant la Formation comme un investissement de compréhension, un investissement intellectuel de gain de temps.

Un investissement peut se définir de plusieurs manières : détour de production, échange de satisfaction immédiate contre une espérance, pari sur l'avenir…

Un investissement, qu'il soit matériel ou intellectuel, n'est jamais une fin en soi, mais représente des moyens au service d'objectifs. Ainsi, face à un environnement turbulent, l'entreprise considère, de plus en plus, la Formation comme un investissement dans l'intelligence, dans la compréhension ou comme un moyen d'adapter les compétences face à un avenir perturbé.

Par ailleurs, la Formation recouvre une dimension temporelle dans la mesure où l'intelligence, la compréhension, l'adaptabilité des compétences nécessitent une réflexion sur le temps : l'investissement le plus rentable étant celui que l'on consacre à l'usage de la ressource temps, car c'est la seule ressource que l'on ne peut synthétiser, ni reproduire, ni acheter.

Ainsi, la Formation comme investissement permettant l'adaptation des compétences doit être envisagé comme un investissement de gain de temps. Un investissement ne se situe pas seulement dans le palpable, le visible, l'immédiatement utile et rentable, mais dans la préparation des esprits, la création de potentiels, l'assimilation de nouvelles logiques, ainsi que le développement de l'autonomie et de l'intelligence de situation.

L'analyse sur la notion de prospective, le changement de cap de la GPE, la Formation telle que nous venons de la définir, montrent que l'entreprise, pour faire face aux aléas d'un environnement instable, est régie par une double exigence :

– l'exigence du temps dans le sens de l'anticipation (organisation anticipative et pas seulement réactive) et dans celui de la durée (organisation qui reconnaît l'importance du moyen terme et du long terme) ;

– l'exigence de la compréhension et de l'intelligence dans le sens d'une capacité d'adaptation aux compétences requises.

Ainsi l'entreprise reconnaît que la GPE et la Formation sont les moyens de lui conférer cette double exigence : cette reconnaissance ne constitue en réalité qu'une première étape à l'articulation possible entre GPE et Plan de Formation, car cette double exigence représente une certaine vision de la Ressource Humaine que la Fonction classique de la Gestion du Personnel est incapable d'illustrer dans les faits, malgré son évolution.

4.2. Les freins à l'investissement formation

La formation doit faire face aujourd'hui à des multiples freins dont un essentiel, selon P. CASPAR, réside dans la difficulté de mesurer un retour sur investissement de l'action de formation.

Selon cet auteur, « *il n'est pas du tout certain qu'une voie pure et dure de l'investissement soit fructueuse, il est difficile de distinguer les effets de la formation de ceux d'autres variables d'ajustement des systèmes productifs à savoir l'organisation du travail, le mode de management… * ».

En effet, comment mesurer la part exacte de la formation par rapport aux autres critères qui viennent d'être cités, alors qu'il semble bien qu'il y ait interdépendance de ces critères dans le fonctionnement et les résultats de l'entreprise ?

À titre d'exemple, une entreprise confrontée à une situation de crise économique a des difficultés à percevoir l'avenir sur une longue période et doit être capable de s'adapter à de nouvelles demandes en permanence, ce qui représente un handicap pour investir à long terme sur la formation d'un collaborateur.

De plus, il semble y avoir contradiction entre vouloir investir sur le long terme et développer la mobilité interne ou externe de l'entreprise. La « formation-mobilité » doit au contraire s'adapter en permanence aux nouveaux besoins émergents qu'ils soient exprimés par le salarié ou par l'entreprise.

Citons deux exemples :

1. Une entreprise qui risque de licencier du personnel à court ou moyen terme hésitera à se lancer dans une action de formation. D'autre part, une entreprise en cours de restructuration ou de redéfinition de ses emplois, attendra d'y voir plus clair sur les besoins en formation découlant de sa nouvelle structure avant d'engager ces investissements.

Les responsables des ressources humaines doivent néanmoins s'investir dans l'analyse de ce retour sur investissement en définissant des critères opérationnels et concrets pour les salariés qui seront applicables à chaque étape de la formation.

Ainsi une formation d'une durée moyenne ou longue (une semaine ou plus) sera découpée en modules de 1 à 3 jours. Pour chaque module, il sera effectué :

- Un test en amont afin de vérifier les connaissances de départ.
- Une évaluation à la fin du module afin de vérifier les apprentissages.

2. Nous venons de citer un certain nombre de « freins » à l'investissement en formation. Naturellement, les individus qui se situent dans une organisation « qualifiante » ou « apprenante » peuvent se former plus facilement et ainsi développer leur mobilité interne.

Cela leur permet de s'adapter à de nouveaux modes d'organisation pour mieux travailler en équipe et s'adapter ainsi aux nouvelles techniques développées par l'entreprise.

Ces organisations qualifiantes vont permettre également de développer des formations adéquates aux besoins de l'entreprise, de repérer les compétences acquises et requises pour chaque poste, de valider le retour sur investissement de la formation et enfin d'établir des passerelles entre les différents postes.

Les salariés n'appartenant pas à une organisation « apprenante » doivent se former, réfléchir sur la capitalisation de leur savoir à travers leur expérience professionnelle, formaliser par écrit leurs acquis professionnels afin de mieux se projeter dans l'avenir d'ou l'intérêt de la « prospective ».

Comme nous le verrons plus loin, il existe des outils tels que le bilan de compétences qui ont pour objet d'évaluer les compétences et le savoir-faire de l'individu. Cela relève plus d'une démarche individuelle mais fondamentale aujourd'hui.

Les idées clés

L'investissement est un moyen au service d'objectifs en terme d'adaptation des compétences.

L'entreprise est régie par une double exigence :
- Temps, durée
- Compréhension et intelligence
➡Capacité d'adaptation aux compétences requises

CHAPITRE 5 Les organisations qualifiantes

La formation technique est maîtrisée dans tous les domaines relevant de la qualification sociale, la dimension relationnelle est beaucoup plus complexe à évaluer.

– À titre d'exemple, prenons le cas du CAP chez Renault.

Nous distinguons deux grands types de comportement dans l'expression « savoir faire – savoir être – faire savoir ». En terme de communication, il y a un rapport avec les notions de durabilité, d'analyse et de résolution de problèmes, de conception, de réalisation de projet et de conduite du process de travail.

Il existe un discours sur les attitudes au travail : ouvrier, technicien, professeur, dirigeant. Il leur est demandé plus d'autonomie, de réactivité, d'initiative, d'être pro-actif, de résister au stress, de développer ses identités sociales, d'imposer sa personnalité.

Ce discours patronal induit une projection sur les individus et sur l'organisation du travail.

Nous pourrions nous poser la question sur l'intérêt de développer une organisation qualifiante. Cela serait dans une vision purement « utilitariste ». Le travail se fait sur des informations en développant des compétences transverses par vision sociale. Cela implique de développer des capacités d'insertion.

Prenons l'exemple d'un responsable « Méthodes » qui intervient sur l'ensemble des étapes d'un projet avec les différents « métiers » concernés par la réalisation de chaque étape.

Une idée différente, croissante s'appuie sur des critères techniques et des aspects sociaux sous l'angle du « savoir-faire » « savoir-être » qui évoque la procédure de « qualification sociale ». En effet, la qualité propre aux travailleurs aptes à être responsables et à communiquer entraîne une triple reconnaissance :

• par les règles « travail formel et informel »,

• par la reconnaissance plus sociale « identitaire »,

• par la reconnaissance sociale technique « professionnalisation ».

Nous pourrions donc faire une autre hypothèse, la qualification technique est-elle différente de la qualification sociale ?

Selon ZARIFIAN, une réponse existe aux ruptures du modèle taylorien, ce serait donc la transformation du modèle taylorien. De plus, de nouvelles aspirations sociales émergent : autonomie, culture d'entreprise (lieu de socialisation large). De la qualification sociale émerge donc la qualification des postes, c'est-à-dire la structure des emplois.

Voici l'organisation qualifiante alternative au modèle taylorien qui ne semble plus opérant dans les domaines suivants :

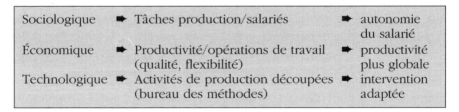

Sociologique	➡ Tâches production/salariés	➡ autonomie du salarié
Économique	➡ Productivité/opérations de travail (qualité, flexibilité)	➡ productivité plus globale
Technologique	➡ Activités de production découpées (bureau des méthodes)	➡ intervention adaptée

Il convient de s'adapter aux aléas qui surviennent notamment par l'apprentissage en situation de travail.

En effet, le modèle ne répondant plus aux mutations, il semble important de réfléchir à la mise en place d'un modèle plus global correspondant à une organisation plus complexe.

C'est le modèle de la non coopération, or il est indispensable de communiquer entre les différents opérateurs, de coopérer entre les acteurs, de développer la performance entre toutes les opérations. C'est aussi le modèle de l'innovation par l'apprentissage qui doit se poursuivre pour rester compétitif.

Dans son ouvrage « *Événements et communication pour faire face aux mutations* », ZARIFIAN cite deux concepts. L'événement est un indice logico-temporel d'une situation que l'individu devra de lui-même analyser et maîtriser (échanges sociaux, apprentissage global). La communication est une négociation par rapport aux objectifs, moyens et prises de décision. Cela souligne l'aspect pluri-professionnel, c'est-à-dire la construction d'un référentiel commun, d'objectifs communs en terme de coopération et de coresponsabilité. Ainsi selon ZARIFIAN, nous pourrions évoluer vers une organisation qualifiante qui serait une alternative au modèle taylorien.

Revenons à la structure des emplois. Les modèles théoriques sont renouvelés : théorie du rapport salarial, approche institutionnelle de l'entreprise, nouveaux modèles de l'organisation du travail. Nous constatons une déqualification des postes et des personnes.

Chez Taylor, la qualification revêt l'aspect suivant : pour les jeunes diplômés, c'est un poste opérationnel avec une qualification technique non reconnue. Le diplôme est lié au statut et non à la qualification. Il s'agit de juger sur les différents potentiels et non sur les compétences. Cela découle d'une vision humaniste. Selon ECHEGOYEN, l'entreprise est responsable des qualifications sociales. C'est créer une égalité de fait. La qualification s'acquiert par la formation.

Les formateurs évaluent les acquis, transferts de formation entre autre, impacts sur les situations de travail, vue globale sur l'apprentissage.

De quels outils doit-on se doter pour mesurer la formation ?

L'évaluation relève du retour sur investissement (investissement immatériel). Doit-on partir de la classification des postes (indices de rémunération par rapport à la valeur du point) ou bien se cantonner à la qualification (liste de savoirs, de savoir-faire) pour évaluer les capacités à tenir le poste. Il semble qu'il y ait une opposition des syndicats à évaluer les capacités à tenir le poste.

Il convient de s'affranchir de l'appareil légal et de décrire les postes. Les formateurs parlent de capacités techniques, individuelles, de potentiel managérial. Les organisateurs parlent de compétences. Cela nous renvoie aux différentes situations d'apprentissage. C'est un processus de transformation des compétences.

La qualification se rattache à la dimension sociale et la classification au modèle taylorien.

Pour que la qualification sociale ait un sens, elle doit être liée à la qualification technique mais également au capital culturel par rapport à l'individu. Selon BOURDIEU, cela nous renvoie à la construction sociale qui se déterminerait dans le cadre scolaire…

GALAMBAUD confirme l'idée de la propriété du savoir par l'individu, c'est-à-dire ses capacités relationnelles, de synthèse et d'expertise.

Selon ZARIFIAN, l'organisation qualifiante comme modèle domine la scène à un moment donné et concerne l'ensemble de l'entreprise. Ce modèle relève d'un « construit social » qui s'impose aux acteurs. Les données économiques et sociales ne sont pas immuables, il semble qu'il y ait discontinuité pour passer d'un modèle à un autre et cela correspond à un paradigme.

En conclusion, l'organisation qualifiante peut s'imposer comme une rupture au modèle taylorien qui s'appuie sur deux concepts « événements, communication ».

Des expériences ont eu lieu et la majorité des textes étudiés proviennent d'expérimentations effectuées au sein d'activités de production industrielle.

Les différentes formes d'apprentissage fonctionnent dans ces organisations selon le mode de compétence transverses (compagnonnage, formation faite par des ingénieurs aux techniciens …).

La définition d'une politique de formation suppose l'intervention d'au moins trois catégories d'acteurs. Tout d'abord les acteurs de l'entreprise ou du groupe industriel auquel appartient l'entreprise, ensuite l'ensemble des acteurs environnant l'entreprise et enfin les pouvoirs publics.

> **Les idées clés**
>
> L'organisation qualifiante ou apprenante implique des salariés aptes à être responsable et à communiquer :
>
> ➡ Reconnaissance du salarié.
>
> ➡ Rupture avec le modèle taylorien.

PARTIE 2

MÉTHODOLOGIE ET PRATIQUE DE LA GPEC

Ce chapitre a pour but d'offrir une démarche pratique de mise en œuvre de la GPEC. Il apporte un éclairage pragmatique sur des méthodes applicables en entreprise.

CHAPITRE 1 Approche méthodologique de la GPEC par les familles professionnelles

Cette approche méthodologique est issue de l'ouvrage de Dominique THIERRY et Christian SAURET « *La gestion prévisionnelle et préventive des emplois et des compétences* »[1].

La gestion prévisionnelle des emplois et de la formation peut se décliner selon les axes suivants :
- analyse des métiers
- analyse des activités ➤ description de poste
- analyse des compétences ➤ capacités

---

1. Publié aux Éditiond l'Harmattan, Développement et Emploi (Collection pour l'emploi), 2e édition 1994.

- analyse de la population/métiers exercés
- identification des facteurs de changement ➤ adaptation des compétences à l'évolution des besoins
- analyse prospective des contenus et des exigences du métier
- mobilité ➤ dans d'autres métiers de l'entreprise
  ➤ à l'extérieur de l'entreprise
- processus de professionnalisation : Formation
- analyse de l'entretien d'appréciation ➤ adaptation/poste
  ➤ changement de poste

Vous trouverez le détail de la démarche en annexe

Des outils complémentaires dont certains sont issus de la documentation CEGOS vont nous permettre de finaliser l'approche théorique de la démarche de gestion prévisionnelle des emplois et compétences avant d'aborder la pratique en entreprise.

CHAPITRE 2 La GPEC : du recrutement à la mobilité

Comme nous l'avons vu précédemment, il nous semble fondamental d'avoir une vision claire de la stratégie de l'entreprise et des enjeux qui en découlent mais aussi de connaître précisément l'organisation de la fonction « Ressources humaines » pour bâtir une GPEC.

Dans des grands groupes, nous pouvons observer d'une part, des fonctions centrales chargées notamment de la définition de la politique sociale pour l'ensemble des sociétés du groupe et d'autre part, des établissements proches du terrain qui appliquent par déclinaison la politique commune à l'ensemble du groupe.

Dans les directions centrales, nous trouverons tout ce qui relève du recrutement, de la gestion des carrières, de la mobilité, de la formation, de la communication, de la médiation sociale (avec les partenaires sociaux), de la comptabilité et du contrôle de gestion et enfin, une personne chargée des liaisons avec les établissements qui assure notamment la consolidation. Ainsi, les DRH des établissements auront une délégation de pouvoir au niveau de leur site en matière de Gestion des Ressources Humaines pour mettre en œuvre les orientations définies au niveau du groupe.

2.1. La définition du poste

C'est ici la première étape pour **définir le poste** par exemple du DRH mais également de l'ensemble des autres salariés de l'entreprise. En effet, le « Qui fait quoi » nous semble indispensable aujourd'hui compte tenu des évolutions des entreprises pour permettre à chacun de mieux se positionner, de connaître son rôle et ses missions dans un contexte donné.

Description de poste

Direction ou service :	Intitulé du poste :
Localisation géographique :	Nom du titulaire du poste :
Dépend hiérarchiquement de : Travaille avec : polyvalence sur le poste avec :	
Mission (rôle) :	
Activité principale (en terme de tâches) : Activités secondaires : Liaisons principales et nature des relations (internes/externes) :	
Niveau de responsabilité (niveau de délégation de pouvoir et/ou de compétence) : Exemple : « être autorisé à engager une dépense jusqu'à 20000 F » « être autorisé à donner des orientations en l'absence de M. X »	

Naturellement, cette description de poste constitue un exemple pouvant être totalement réadapté. Les informations ne sont pas exhaustives. Dans certains cas, nous trouverons le grade et d'autres informations relatives au poste de la personne. En annexe de la description de poste nous pouvons également trouver la place du salarié dans l'organigramme. Ces dernières années, nous avons vu s'ajouter dans ces descriptions de postes qui émanent bien du salarié avec les activités tenues réellement par celui-ci, la « capacité à », accompagnée de critères d'exigence ou d'indicateurs de performance liés à la démarche « qualité ». Dans certains cas, une personne de la DRH ou un consultant extérieur peut être associé à la réalisation de cette description de poste.

2.2. Le profil du poste

Nous allons maintenant donner un exemple de **profil de poste** qui émane essentiellement de la direction des ressource humaines. Ces dernières années nous avons pu constater que des notions provenant du profil de poste ou de l'emploi type figuraient dans la description de poste du salarié, en particulier, les compétences et les qualités requises pour tenir le poste.

Profil de poste

Intitulé du poste : Diplôme : ➡ 1975   ➡ 1999 analyser les écarts de niveau requis entre 1975 et 1999
Missions (description des activité générales/convention collective) : Compétences requises : Qualités requises :
Évolutions dans le poste (en intégrant les nouvelles technologies) : ➡ Mettre en œuvre la formation ➡ Voir si l'expérience acquise est transférable vers d'autres postes et/ou dans d'autres familles professionnelles

Pour repérer l'évolution des métiers, la GPEC va servir à identifier l'évolution dans les métiers. Il est donc nécessaire d'élaborer un « profil de poste » ou « emploi type » qui doit être rapproché de la description de poste afin de constater les évolutions dans le poste puis d'analyser les écarts. Ces dernières années, les évolutions par rapport aux nouvelles technologies ont ainsi pu être identifiées sur l'ensemble des postes (ingénieurs, techniciens, personnel administratif …).

Dans certains cas, le poste était supprimé (ou modifié) ou devenait un nouveau métier. Ces premières analyses permettent d'identifier les compétences à développer et ainsi peuvent faciliter la mobilité sociale.

2.3. Les emplois

L'exemple précédent concernant le « profil de poste ou emploi type » doit être complété pour définir la cartographie des emplois de l'entreprise par famille professionnelle afin de mieux identifier toutes les fonctions transverses qui peuvent être exercées pour un même métier.

L'analyse prévisionnelle des emplois consiste également en une analyse fine des conséquences des facteurs-clés d'évolution et de la stratégie de l'entreprise.

– Les entreprises et les emplois sont d'une façon générale confrontés à trois groupes de facteurs d'évolution. Il s'agit de l'évolution :
  • de leur technologie
  • de leur organisation interne, conséquence de contraintes diverses
  • des facteurs sociaux tels que l'évolution des mentalités des hommes par rapport au travail ou des changements d'implantation des salariés.

– Il convient alors de faire préciser les facteurs d'évolution des structures et des emplois aux principaux acteurs concernés dans l'entreprise, à savoir, la Direction Générale et tous les responsables opérationnels ou fonctionnels.

Dans ce cadre, les grands thèmes qui suivent sont à traiter :

- Menaces et opportunités par rapport à l'extérieur
- Situation de la concurrence
- Les points à développer et à abandonner

Les conséquences des trois critères précédents sur l'emploi dans la société peuvent être quantitatives et qualitatives.

– L'analyse fine des conséquences des facteurs-clés d'évolution et de la stratégie de l'entreprise va nous permettre de déterminer :

- Les emplois cibles : ce sont les emplois nouveaux qui nécessiteront de nouvelles compétences.
- Les emplois menacés : qui sont appelés à disparaître.
- Les emplois sensibles : susceptibles de subir des modifications ou des transformations à moyen terme.
- Les emplois peu sensibles : dont la configuration à moyen terme sera globalement similaire.

– Un répertoire des emplois est par ailleurs indispensable pour décrire les activités actuelles et futures et identifier principalement des passerelles de mobilité.

- Rassembler toutes les informations existantes sur les emplois.
- Construire un squelette de familles d'emplois.
- Identifier les emplois types à partir des postes concrets.
- Proposer des intitulés adaptés aux nouveaux métiers.
- Proposer des définitions.

– À partir des facteurs identifiés précédemment, nous réalisons une carte des emplois en cinq étapes :

- Famille professionnelle
- Sous-familles
- Emploi type
- Postes
- Tâches

Cela permet de regrouper par famille professionnelle, des postes qui ont des points communs ou une technique commune. Ainsi, nous pouvons envisager des passages d'un poste à l'autre par la mise en œuvre de formations.

À titre d'exemple, prenons la famille d'emplois « Ressources humaines » qui se décompose de la manière suivante :

– Famille   ➡ Ressources humaines
– Sous-famille   ➡ Formation, recrutement, paie …

– Emploi type   ➥ Assistant – secrétaire – technicien – responsable

– Poste   ➥ Technicien paie (si sous-famille paie)

– Tâche   ➥ Calculer les soldes de tous comptes (pour le technicien paie)

2.4. Le référentiel métier

Pour construire un répertoire des métiers ou référentiel métier, il est fondamental de remplir l'emploi type par famille professionnelle en partant des métiers existants au sein de l'entreprise.

Il convient ici de rappeler les familles professionnelles les plus courantes (grandes fonctions de l'entreprise) :
– Direction générale
– Ressources humaines
– Organisation
– Achat
– Marketing et commercial
– Production
– Finance
– Logistique
– Qualité
– Recherche et développement

FICHE D'EMPLOI-TYPE
(PROFIL DE POSTE)

Finalité
Mission principale, définie en une phrase.

Principales structures
Concernées :

Parties de l'organisation
dans lesquelles on
rencontre l'emploi.

Environnement
Principaux interlocuteurs. Travail autonome ou
en équipe.

Niveau

**Description synthétique
des activités**
Principaux axes d'action. Ne s'attache pas aux
tâches spécifiques des postes.

Compétences nécessaires
Connaissances Aptitudes
+ ++ +++

F
A
M
I
L
L
E

P
R
O
F
E
S
S
I
O
N
N
E
L
L
E

**Formation et/ou
expérience professionnelle**

Exemple de FICHE D'EMPLOI-TYPE « Responsable de formation » (PROFIL DE POSTE)

Finalité
Élaboration du plan de formation
de l'entreprise.

Principales structures
Concernées :

Direction des Relations
humaines et
de la Formation

Environnement
DRH, DG, tous les services de l'entreprise.
Organisme de formation.
Formateurs interne et externes.

Niveau (*)

3

**Description synthétique
des activités**
Recenser et analyser les besoins de formation.
Concevoir le plan de formation général en
cohérence avec la stratégie de l'entreprise.
Coordonner et suivre la mise en œuvre
opérationnelle des actions de formation.
Gérer le suivi administratif et budgétaire.
Négocier les contrats avec les organismes
extérieurs.

Compétences nécessaires
Connaissances Aptitudes
+ ++ +++
Analyse et synthèse   +++
Gestion administrative et budgétaire ++
Management d'équipe
Communication et négociation
Organisation
Connaissance de l'entreprise et de sa stratégie

**Formation et/ou
expérience professionnelle**
Formation supérieur en gestion
des ressources humaines.
Expérience de l'encadrement

(*) Niveau de compétence

D
I
R
E
C
T
I
O
N

R
E
S
S
O
U
R
C
E
S

H
U
M
A
I
N
E
S

REGROUPEMENTS PAR FAMILLES OU SOUS-FAMILLES D'EMPLOIS – STRUCTURES –						

Groupes d'emplois	Emplois à la date du…	Secteurs				
		Production	Commercial	Administratif	Personnel	Etc.

À partir de l'existant, cette fiche apporte une vision globale des groupes d'emploi pouvant apparaître dans les différentes familles professionnelles.

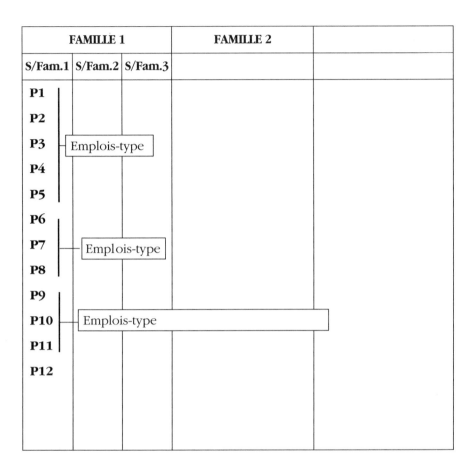

CARTOGRAPHIE DES EMPLOIS-TYPES

Certains postes sont spécifiques à une famille d'emploi, voire à une sous famille ou sont communs à plusieurs familles (exemple : le contrôleur de gestion peut exister dans les familles Commercial, Production, Administratif ...).

2.5. Le référentiel de compétence

Après avoir fait l'analyse de l'ensemble des métiers existants dans l'entreprise (répertoire des métiers), la deuxième étape est de construire un **référentiel des compétences** communes aux familles professionnelles et de définir les niveaux de compétence requis (graduation de 1 à 4 ou de 1 à 3…).

EXPLICATION DES NIVEAUX DE COMPÉTENCES

- Niveau 1
  - Niveau de base.
  - Compétence dont la connaissance est partielle.
  - Simple application.
  - Pratique superficielle et occasionnelle.

- Niveau 2
  - Niveau intermédiaire.
  - Compétence pratiquée régulièrement et maîtrisée.
  - Maîtrise de la situation, de l'attitude.
  - Pratique correcte.

- Niveau 3
  - Niveau final, le plus élevé.
  - Possibilité de pouvoir transmettre cette compétence à d'autres.
  - Pratique approfondie et permanente.

Liste des compétences pouvant être communes à toutes les familles professionnelles
Langues étrangères
Informatique
Contrôle
Qualité
Organisation
Analyse
Synthèse
Management
Communication
Travail en équipe

Cette liste non exhaustive peut être complétée en fonction de compétences liées à des connaissances techniques selon le secteur d'activité.

- D'autre part, une compétence peut se décliner en un ensemble de capacités ou d'aptitudes.

Par exemple, le management d'une équipe se caractérise par la capacité à :
– Définir les objectifs
– Coordonner
– Répartir les tâches
– Motiver
– Gérer les conflits
– Contrôler …

En fonction des critères d'exigence de l'entreprise, le niveau de compétence pourra varier. Dans l'exemple du management d'équipe, ce niveau pourra être fonction de la taille de l'équipe.

- Enfin, il convient de décrire clairement les activités relatives à un métier pour extraire la compétence.

Pour un métier : les activités dominantes
– Importantes
– Récurrentes

Pour une personne : les activités « RARR »
– Réussies
– Aimées
– Répétées
– Reconnues

- Il existe des méthodes complémentaires d'analyse des compétences telles que la méthode COROM, développée par Michel LEDRU et Sandra BELIER-MICHEL au sein de notre organisme de conseil et formation CEGOS. Cette méthode s'appuie sur les quatre critères de « compétence cognitive » :
– Démarche intellectuelle
– Savoirs références
– Inter-action relationnelle
– Complexité (relations au temps et à l'espace)

Les compétences supplémentaires retenues pour le ROME (voir annexes) sont :

– La réactivité à l'urgence et aux situations dangereuses
– La délégation
– Le champ professionnel

La notion de compétence s'appuie généralement sur des critères d'exigence « qualité », des pré-requis, des critères liés à l'emploi davantage centrés sur la personne.

La méthode COROM est centrée sur les activités et non sur les personnes.

Cette méthode s'appuie sur des critères objectifs mais très discriminants. De ce fait, elle implique un effort particulier de communication et d'explication.

Après avoir réalisé ce premier travail de création d'un référentiel métiers et d'analyse des compétences, il semble essentiel de se poser des questions sur ces « ressources » internes à l'entreprise.

2.6. Analyse détaillée de la mise en œuvre du suivi des carrières

2.6.1. *Le recrutement*

Avant de lancer une recherche externe, il semble primordial compte tenu de ce que nous avons vu précédemment :
– d'étudier au préalable toutes les possibilités de recrutement en interne,
– de définir les aptitudes nécessaires pour tenir le poste,
– de développer les compétences nécessaires pour le futur.

La hiérarchie doit avoir défini le profil du poste à pourvoir et son rattachement à une famille professionnelle…

Comme nous l'avons vu au chapitre 1, la gestion prévisionnelle des emplois et des compétences ne doit pas être seulement l'apanage des grandes entreprises mais se développer aussi au sein des PME/PMI.

Certaines DRH semblent vouloir détecter le plus souvent en amont, différentes aptitudes par grandes catégories dans les domaines suivants.

GRILLE D'IDENTIFICATION DES APTITUDES

Physique
➡ Caractéristiques physiques :
  • Taille, gabarit, force, stature
  • Présentation personnelle sur le plan physique
  • Aisance en public, style personnel
➡ Utilisation du potentiel physique
  • Hygiène de vie personnelle
  • Pratique des sports et de la détente

Intellectuel
➡ Intelligence concrète
  • Bon sens « jugement » compréhension des situations
  • Sens pratique, efficacité, débrouillardise
  • Intelligence technique (comprendre les choses, les machines …)
➡ Intelligence abstraite
  • Compréhension des idées, thèmes …
  • Capacité d'analyse et de synthèse, d'abstraction
  • Rigueur intellectuelle, aptitude au raisonnement
➡ Aptitude générale à la créativité
  • Ouverture d'esprit, curiosité, sens de la recherche
  • Imagination et spontanéité
  • Capacités artistiques ou littéraires

Relationnel
➡ Faculté et goût pour l'expression personnelle
  • Expression orale
  • Expression écrite
  • Autres formes d'expression personnelle (photo, cinéma …)
➡ Capacité de relations, de contact, de communication
  • Besoin de communication sociale
  • Esprit d'équipe, sens de la coopération
  • Capacité de dialogue et d'échange
➡ Autorité naturelle « ascendant »
  • Sens et goût du commandement
  • Capacité à stimuler, animer, à déléguer
  • Capacité à inspirer confiance « crédibilité » honnêteté, franchise

…/…

➡ Intérêt pour les autres et sens social
  • Ouverture à autrui, intérêt pour les autres, sens de la solidarité
  • Sens de l'écoute, disponibilité
  • Capacité à se dévouer pour des causes humaines

Personnel
➡ Autonomie
  • Indépendance d'esprit : résistance aux conventions sociales et jugements d'autrui
  • Goût de l'initiative et du risque : capacité à provoquer et saisir les opportunités
  • Adaptabilité sociale, souplesse de caractère
➡ Volonté, dynamisme, esprit de décision
  • Force des motivations et convictions personnelles, fidélité à ses buts et croyances
  • Volonté de réussite personnelle (ou de « réussir sa vie ») et capacité d'y investir de l'énergie
  • Ténacité, persévérance
➡ Équilibre personnel
  • Résistance aux agressions, à l'anxiété, à la culpabilisation
  • Stabilité émotionnelle : maîtrise de soi, calme, pondération, bonne humeur
  • Optimisme
➡ Confiance en soi
  • Force du sentiment d'identité personnelle et de l'affirmation de soi
  • Confiance en ses propres forces, potentiels et capacités
  • Sens de ses propres limites, et humour vis-à-vis de soi-même
➡ Éthique et morale
  • Capacité à adopter et maintenir une ligne de conduite, une éthique (résistance aux pressions)

Utiliser cette grille d'identification des aptitudes en terme de « **points forts** » et « **points faibles** » peut présenter quelques inconvénients si l'on ne s'entoure pas d'une réelle expertise en psychologie.

Rapprochons-nous de la définition de Lévy-Leboyer sur la compétence par rapport à une activité. En effet, c'est un ensemble de connaissances, savoir-faire, aptitudes et traits de personnalité mises en œuvre dans un contexte donné au service de l'entreprise en fonction de ses objectifs et de sa culture.

Dans ce cadre-là, il est préférable d'avoir une approche systémique, c'est-à-dire voir l'individu comme un tout en interaction avec différents éléments structurels, humains, techniques et économiques. L'être humain est ainsi pris dans son environnement global.

Pour mettre en œuvre le suivi des carrières, il semble indispensable de tenir compte de l'individu, de ses attentes et naturellement de l'avis de la hiérarchie.

L'outil permettant cet inventaire du potentiel humain avec la formation pour objectif, est **l'entretien d'appréciation ou de progrès**.

2.6.2. *L'appréciation, compétences et souhaits*

L'appréciation est un jugement porté par un supérieur hiérarchique ou des collègues de travail sur le comportement d'un individu dans l'exercice de ses fonctions.

Deux grands types d'objectifs sont visés : des objectifs de type « sélection, mutation, formation, promotion, sanction … » et des objectifs de régulation interne du type « adaptation, perfectionnement, motivation … ».

L'entretien d'appréciation a lieu en général une fois par an.

Il doit être accompagné d'une bonne communication afin d'être accepté par les collaborateurs.

L'appréciation porte autant sur les qualités humaines et personnelles des salariés que sur les qualités professionnelles et techniques.

Les critères d'appréciation utilisés (humains et professionnels) ont sensiblement le même poids.

Avant de mener un entretien d'appréciation le supérieur hiérarchique peut donner à son collaborateur un imprimé lui permettant de préparer son entretien (voir document ci-après).

GUIDE DE PRÉPARATION
DE L'ENTRETIEN D'APPRÉCIATION
OU ENTRETIEN DE PROGRÈS

Ce document vous permet de préparer votre entretien avec votre supérieur. Il doit vous aider à réussir ce moment particulier de votre vie professionnelle. Vous n'êtes pas obligé de le communiquer, une fois rempli, à votre supérieur.

1. Quelles ont été vos contributions principales au cours de la période écoulée ?

2. Quelles difficultés avez-vous rencontré pour obtenir vos résultats ?

Sur les plans :

- technique

- organisation

- informations

- moyens (humains, matériels)

- relations avec la hiérarchie

3. Pour aplanir ces difficultés :

   Que proposez-vous de faire vous-même ?

   Qu'attendez-vous et de qui ?

4. Que trouvez-vous de plus intéressant et/ou de plus adapté à vos compétences dans votre fonction actuelle ?

5. Que trouvez-vous de moins intéressant et/ou de moins adapté à vos compétences dans votre fonction actuelle ?

6. Sur quoi et comment pourriez-vous transformer (élargir, enrichir) votre fonction actuelle ?

7. Quels sont vos points forts ?

   À l'épreuve dans votre fonction actuelle ?

   Dus à votre expérience professionnelle passée ?

   Dus à des talents développés hors contexte professionnel ?

8. Quels sont vos points faibles vous apparaissant à l'occasion de votre fonction actuelle ?

9. Êtes-vous à moyen ou long terme attiré par d'autres activités professionnelles ?

   (Dans l'entreprise : autres fonctions, autres sites, etc.)

10. Quelles connaissances et compétences supplémentaires vous aideraient à mieux remplir votre fonction actuelle ?

(Valoriser les points forts, réduire les points faibles)

11. Et à préparer une évolution professionnelle ?

12. Quels moyens particuliers suggérez-vous pour ces deux derniers points ?

EXEMPLE DE FICHE D'APPRÉCIATION DU PERSONNEL

Date d'entretien :	Ancienneté dans le poste :	Age :
Année :	Titre :	Département :

Partie 1 : Critères professionnels						Partie 2 : Critères humains					
	I	P	B	TB	E		I	P	B	TB	E
Connaissances techniques						Aptitudes relationnelles					
Quantité de travail						Initiative					
Organisation						Persévérance dans l'effort					
Communication écrite						Jugement					
Communication orale						Persuasion					
Prise de décision						Confiance en soi					
Qualité du travail						Capacité à encadrer					

Partie 3 : Nom et appréciation du responsable hiérarchique direct

Nom :   Signature :   Date :

Niveau général de performance   I – P – B – TB – E

Signature :   Date :   Titre :

Partie 4 : Commentaire du supérieur hiérarchique N+ 2	Visa DRH
Nom : Signature : Date :	Date :

Partie 5 : Observation du responsable hiérarchique direct à l'issue de l'entretien

Signature :   Date :

Partie 6 : Commentaire de l'intéressé (e)

Signature :   Date :

Légende :
I   Insuffisant
P   Passable
B   Bon
TB Très bon
E   Excellent

Ces critères d'évaluation doivent permettre à la DRH de suivre de manière qualitative et quantitative (par rapport aux objectifs fixés) la personne dans son poste et de lui proposer les actions d'accompagnement utiles pour une bonne adéquation des compétences au poste actuel ou à ses souhaits d'évolution.

SUITE DE L'ENTRETIEN (POINTS FORTS – POINTS FAIBLES)	
COMPÉTENCES	
HIÉRARCHIE	SALARIÉ
SOUHAITS/FORMATION	
HIÉRARCHIE	SALARIÉ

L'ÉVALUATION DES CADRES

D'autres critères d'évaluation peuvent être retenus pour les cadres (Comportements observés dans la fonction).

Ces critères font l'objet de commentaires à échanger avec la hiérarchie

Connaissances professionnelles théoriques et pratiques au vu du travail demandé.

Adaptation – créativité – imagination – organisation
➡ dans les tâches et circonstances nouvelles

Goût du perfectionnement
➡ Progression personnelle en général

Travail
➡ Qualité, quantité, rapidité, ténacité

Aptitudes physiques
➡ Résistance, dynamisme, absences

Autorité
➡ Aptitude au commandement, ascendant personnel

Sociabilité
➡ Relations latérales et hiérarchiques

Hygiène, sécurité, conditions de travail

Attitude générale
➡ Présentation, conduite, sens du service, conscience professionnelle, disponibilité, attachement à la communauté du travail.

Il paraît important d'ajouter que les entreprises fixent à leurs collaborateurs des objectifs intégrant des critères de performance.

- Dépasse les objectifs
- Conforme aux objectifs
- Inférieur aux objectifs
- Ne permet pas de garder la personne dans le poste

Les objectifs doivent être réalistes, concrets et mesurables de manière à permettre un entretien satisfaisant pour les deux parties et surtout une bonne communication.

En conclusion, deux grands types d'objectifs sont visés :

LES OBJECTIFS VISÉS	
Décision Administrative de Gestion de Personnel Sélection – Affectation – Diagnostic de points forts et faibles Rémunération • « au mérite » • primes Mouvements • mutation • promotion Sanctions • avertissement • licenciement Formation	**Régulation interne** – Insertion dans l'unité, l'entreprise – Adaptation au poste – Perfectionnement, développement personnel – Relations internes à l'équipe (notamment hiérarchiques, fonctionnelles et humaines) – Motivations – Possibilités et souhaits d'évolution.
LES SYSTÈMES CORRESPONDANTS	
ÉVALUATIF Objectivité et Prédictivité	**COMPRÉHENSIF** Échange ➡ Acceptabilité (et prise en charge)

CLIMAT

2.6.3. *L'évaluation des compétences*

Elle se fait par le biais de l'entretien d'appréciation après avoir identifié les capacités de l'individu : compétences professionnelles par rapport au travail demandé, capacités d'adaptation et de créativité, qualité du travail effectué, aptitudes physiques en terme de résistance, aptitudes au commandement et capacité à motiver une équipe, respect de la hiérarchie, adhésion aux valeurs de l'entreprise …

L'entretien d'appréciation s'intègre à la fois dans un projet personnel d'évolution du salarié, mais aussi aux objectifs généraux de l'entreprise dans une démarche collective.

Le bilan de compétences demandé par le salarié peut être pris en charge par l'entreprise pour ses besoins mais la loi est prévue avant tout pour aider le salarié à construire son projet personnel (voir en annexe, le texte de loi R931 – 28, R931 – 29, R931 – 33).

Ce bilan de compétences comporte des tests de personnalité et psychotechniques « assesments centers ».

Ces tests ont pour but d'identifier les éléments qui permettent à une personne de décider d'une nouvelle orientation dans ou en dehors de l'entreprise.

Ce bilan est un moyen pour éclairer les « zones d'appui » pour la construction d'un projet.

Il traite de la formation initiale de la personne, des domaines de compétences développées, de ses intérêts professionnels et de ses motivations, de ses aptitudes et qualités.

En fonction de tous ces éléments, il pourra valider un projet de formation.

À titre d'exemple, dans le cadre d'une mobilité externe, un bilan de compétences pourra se décliner de la manière suivante :
• Circonstances et objectifs du bilan
• Formation initiale
• Les compétences (domaines de compétences développés dans les différents postes tenus)
• Motivations et intérêts professionnels pour un changement de métier

- Capacités développées dans les postes antérieurs
- Aptitudes et qualités
- Conclusion (axes d'orientation/intérêt nouveau métier et plan de formation)

Nous présentons maintenant un autre type d'outil d'identification des compétences souvent utilisé dans les bilans (Cf. tableau page suivante). Il comporte une liste de compétences regroupées en quatorze familles sous un intitulé majeur. Les regroupements ont pour but de mieux éclairer le sens à donner au verbe principal.

Dans un premier temps, ce tableau permet de mettre au regard de chaque tâche exercée par le salarié, les compétences requises pour le poste et de déterminer le sens de ses compétences.

Dans un deuxième temps, nous repérons les compétences communes aux différentes tâches exercées pour un même poste et ses modes d'apprentissage.

Selon Richard WITORSKI dans *Typologie des processus de transformation des compétences.*
1. Par l'action « tâtonnante », par imprégnation – Logique de l'action.
2. Par itération action et réflexion sur l'action – Logique de la réflexion et de l'action.
3. Par réflexion rétrospective sur l'action – Logique de la réflexion sur l'action.
4. Par réflexion anticipatrice de changement sur l'action – Logique de la réflexion pour l'action.
5. Par transmission/production contrôlée de savoirs – Logique de l'intégration/assimilation.

Dans un troisième temps, il s'agira de vérifier les compétences transférables vers les autres postes tenus ou envisagés.

À l'issue de cette analyse, dans le cadre d'un projet personnel, il est possible de valider un « portefeuille » de compétences acquises. Nous sommes dans une démarche de capitalisation des savoirs, utile pour le salarié comme pour l'entreprise.

© Éditions d'Organisation

C'est une liste de familles de compétences avec un sens donné au verbe principal.

DÉCIDER	GÉRER	DIRIGER	ADMINISTRER	PRODUIRE
Arrêter	Acquérir	Animer	Classer	Appliquer
Choisir	Amortir	Commander	Compter	Effectuer
Conclure	Budgéter	Conduire	Enregistrer	Exécuter
Déterminer	Assainir	Confier	Établir	Faire
Eliminer	Comptabiliser	Définir	Gérer	Réaliser
Fixer	Consolider	Déléguer	Inventorier	(+ autres acti-
Juger	Économiser	Gouverner	Ranger	vités à caractè-
Opter	Enrichir	Guider	Recenser	res répétitifs
Régler	Équilibrer	Impulser	Régir	à base d'une
Résoudre	Exploiter	Inspirer	Répertorier	technicité)
Trancher	Gagner	Instituer		
	Investir	Manager		
	Optimiser	Piloter		
	Rentabiliser	Présider		

ORGANISER	COMMUNIQUER	DÉVELOPPER	CHERCHER	FORMER
Aménager	Dialoguer	Accroître	Analyser	Animer
Anticiper	Discuter	Améliorer	Calculer	Apprendre
Arranger	Échanger	Augmenter	Consulter	Conduire
Coordonner	Écouter	Commerciali-	Enquêter	Développer
Distribuer	Exprimer	ser	Étudier	Éduquer
Établir	Informer	Conquérir	Examiner	Entraîner
Planifier	Interviewer	Élargir	Expérimenter	Éveiller
Préparer	Négocier	Étendre	Observer	Instruire
Prévoir	Partager	Déclencher	Prospecter	Sensibiliser
Programmer	Rédiger	Implanter	Rechercher	Transformer
Répartir	Renseigner	Lancer	Sonder	
Structurer	Transmettre	Progresser		
		Promouvoir		

CONTRÔLER	CRÉER	NÉGOCIER	CONSEILLER	AUTRES
Apprécier	Adapter	Acheter	Aider	Éventuelle-
Enquêter	Améliorer	Arbitrer	Clarifier	ment à préciser
Éprouver	Concevoir	Argumenter	Comprendre	
Évaluer	Construire	Conclure	Diagnostiquer	
Examiner	Découvrir	Consulter	Éclairer	
Expérimenter	Élaborer	Convaincre	Écouter	
Mesurer	Imaginer	Démontrer	Guider	
Prouver	Innover	Discuter	Inciter	
Superviser	Inventer	Influencer	Orienter	
Surveiller	Renouveler	Persuader	Préconiser	
Tester	Transformer	Placer	Proposer	
Valider	Trouver	Proposer	Recommander	
Vérifier		Sélectionner		

Pour suivre le salarié, le DRH pourra mettre en place un tableau selon les critères suivants :

Nom	Poste tenu	Ancienneté dans le Poste	CSP	Formation Initiale	Formation continue	Expérience – prof. – autre	Mobilité géogr.

2.6.4. Mise en œuvre de la formation

La mise en œuvre de la formation se concrétise par la prise en compte et le suivi des demandes de formation des salariés et la mise en œuvre du plan de formation (généralement à trois ans).

Tableau de suivi des demandes de formation

Nom	Intitulé du stage	Orga- nisme	Stage choisi	Stage accepté	Stage refusé (motif)	Stage reporté (date)	Durée

Plan de formation

Année Type d'action Par CSP	n − 2	n − 1	n	Réalisé	Reporté (date)	Observations
Cadres : • Manager une équipe Maîtrise : • Communiquer						

Il est souhaitable de gérer ces différents tableaux à partir d'une base de données permettant d'effectuer différentes sortes de recherches ou de tri.

Ces outils sont absolument nécessaires pour optimiser le suivi des carrières.

Il est par ailleurs indispensable de vérifier que les compétences requises pour exercer l'emploi souhaité sont voisines des compétences développées par la personne dans ses activités professionnelles ou extra-professionnelles.

Il convient également de s'assurer que ses compétences acquises sont transférables dans une autre fonction au sein de l'entreprise ou dans un autre secteur d'activité à l'extérieur de l'entreprise. Cependant, il demeure complexe de définir les passerelles de mobilité d'une branche professionnelle vers une autre.

L'utilisation de la grille d'analyse des compétences est aussi utile dans le cadre de l'entretien annuel que dans celui du bilan de compétences.

Ainsi, à l'issue de l'entretien annuel ou de progrès, un guide de réflexion peut être transmis au salarié afin de l'aider à construire son projet personnel, soit dans le cadre de l'entreprise, soit pour mieux se positionner sur le marché du travail.

GUIDE DE RÉFLEXION – ACQUISITION DES COMPÉTENCES

Quels sont les domaines professionnels dans lesquels j'ai le sentiment de réussir, d'avoir réussi :
• Dans mon poste actuel ?
• Dans mes postes précédents ?

Y a-t-il des domaines non professionnels dans lesquels j'apporte une contribution significative ?

Pour chaque domaine, quels sont les connaissances, les comportements, les techniques qui me permettent de réussir ?

Quelles sont les actions qui m'ont permis d'acquérir ces compétences ?

Quelles ont été les personnes qui ont joué un rôle important dans l'acquisition de mes compétences ?

Qu'est-ce qui m'a motivé à acquérir ces compétences ?

© Éditions d'Organisation

101

2.6.5. Évaluation de la formation

L'évaluation met en corrélation des résultats attendus par rapport à des connaissances acquises au cours de la formation.

Des objectifs opérationnels et quantifiables doivent bien entendu avoir été fixés au préalable.

Cette évaluation par rapport à l'appropriation d'un contenu et la mise en application peut être mise en œuvre à effet immédiat au retour sur le poste de travail ou à 3 mois, 6 mois ou 1 an.

Elle se décline en cinq étapes principales :
- Fixer des objectifs mesurables
- Évaluation à chaud sur le déroulement (évaluation du contenu de la formation)
- Évaluer les connaissances acquises (tests de connaissances)
- Évaluer la mise en œuvre (+ 6 mois)
- Évaluer la mise en œuvre (+ 1 an)
  ➡ Évaluation des résultats finaux (quantification)

Exemple (traitement des réclamations au téléphone) :
Avant formation :   30 % des appels client n'obtiennent pas de réponse.
                    ➡ Insatisfaction client.
Après formation :   Seuls 5 % des appels restent sans réponse.

2.6.6. Constructions des plans de succession

Les structures d'organisation évoluent, les structures hiérarchiques propres à Taylor sont peu à peu remplacées par des structures dites « à plat » dans l'entreprise.

Les membres de ces structures peuvent par ailleurs être détachés fonctionnellement dans un « groupe projet » afin d'apporter une expertise spécifique aux besoins de ce groupe.

Nous parlerons dans ce cas de « structure matricielle ».

Cette transversalité est particulièrement importante à prendre en compte pour intégrer les changements organisationnels dans l'entreprise.

D'où l'intérêt de mettre en place des plans de succession dans une démarche prospective afin d'anticiper le plus possible les changements et les besoins en qualifications nécessaires.

Ces plans de succession (ou plans de remplacement) sont établis pour chaque famille d'emploi. Ils doivent comporter pour chaque niveau de fonction, un binôme « Titulaires – Remplaçants éventuels ».

	EXEMPLE DE PLAN DE REMPLACEMENT			

Niveaux de fonction et remplaçants \ Famille d'emplois	Marketing	Finances	Personnel	Production
1er niveau : Titulaires				
Remplaçants éventuels				
2e niveau : Titulaires				
Remplaçants éventuels				
3e niveau : Titulaires				
Remplaçants éventuels				

2.6.7. Mise en œuvre de la mobilité

La mobilité est une solution efficace pour développer le potentiel du salarié, en particulier détecter la capacité du salarié sur la durée à passer à un niveau de responsabilité supérieur. Elle constitue une opportunité d'acquérir des connaissances nouvelles et des avantages personnels tels que la promotion.

GRILLE DE DÉTECTION DU « POTENTIEL »					

	P	D	A	N	OBS
AISANCE DANS LES RELATIONS HUMAINES Animation de groupe, de réunion …					
ÉNERGIE POUR MAINTENIR UN HAUT NIVEAU D'ACTIVITÉ Se porter et se maintenir à un niveau d'activité supérieur					
CAPACITÉ À INTÉGRER L'IMPRÉVU Caractère d'urgence de la prise de décision					
CAPACITÉ D'ADAPTABILITÉ À DE NOUVEAUX ENVIRONNEMENTS PROFESSIONNELS					
CAPACITÉ DE PRÉVISION, DE PLANIFICATION ET D'ORGANISATION					
CAPACITÉ DE DÉCISION Analyse, synthèse et prise de décision					
ENTRAIN ET RAYONNEMENT Optimisme, bonne humeur, charisme, influence positive sur le groupe					
COMMENTAIRES DE L'ÉVALUATEUR					
COMMENTAIRES DU SALARIÉ					

© Éditions d'Organisation

Légende :
P   Capacité pleinement exprimée
D   Potentiel détecté, à développer
A   Capacité non exprimée
N   N'a pas la capacité aujourd'hui

Il convient de souligner que chacun de ces critères doit être apprécié en se basant sur des faits réels et aussi, en fonction de capacités présumées chez le salarié. Lors de l'entretien, il est opportun de rappeler les faits et les motifs qui ont conduit l'évaluateur à porter cette appréciation.

La préparation de nouvelles compétences pour une bonne adaptation aux emplois passe par une évaluation fine des potentiels.

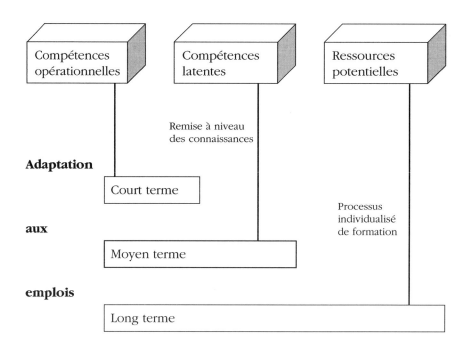

La mobilité se heurte bien entendu à des résistances. Nous en citerons deux principales.

- La première est que les responsables sont majoritairement plus soucieux de la performance de leur secteur que de l'intérêt général de l'entreprise ou de celui de ses collaborateurs. Le responsable d'un service n'a pas envie de voir partir quelqu'un qui fonctionne bien et qui rend service au quotidien.

- La seconde est liée au manque de moyens d'appréciation de l'opportunité réelle de la mobilité, à savoir comme nous l'avons déjà évoqué :
  - L'insuffisance des bilans professionnels
  - L'insuffisance des outils d'analyse des compétences.

La mobilité reste cependant une étape obligatoire dans la construction d'un projet professionnel.

UTILISATION DE L'ENTRETIEN ANNUEL	

Appréciation du niveau de compétence des collaborateurs	Appréciation du potentiel
Diagnostic Des performances et des compétences du salarié.	**Pronostic** Des capacités d'une personne à prendre un nouveau poste et/ou changer d'environnement.
Vision à court terme	**Vision à moyen terme**
Qui évalue ?	
Salarié + Responsable hiérarchique	Salarié + Responsable hiérarchique + Personnes ayant une vision plus large des possibilités de l'entreprise et moins d'identification directe avec le salarié (N+3, N+2).
Qui est décisionnaire ?	
N + 1	Le gestionnaire de carrière qui a une vision plus large + (N + 1) + (N + 2).
Quand évaluer ?	
Évaluation une fois par an	Observation sur plusieurs années. Point tous les ans sur le développement de carrière des collaborateurs.

Nous venons de voir principalement l'analyse qualitative d'une démarche de GPEC. Il est néanmoins indispensable de connaître ses ressources sur le plan qualitatif.

Le bilan social donne des informations sur les sorties (départs à la retraite, turn-over…) et sur les entrées (embauches…).

L'évaluation des potentiels est utile à la gestion des promotions et des mutations.

Toutefois, repérer le vieillissement de la population dans l'entreprise reste un élément majeur, notamment pour anticiper sur les emplois futurs et recruter à l'extérieur si nous n'avons pas les compétences en interne. Dans le second cas, il s'agit de prendre en considération les potentiels détectés pour leur permettre d'accéder à de nouvelles responsabilités ou de développer leurs compétences en suivant des formations.

Ainsi, au plan quantitatif, il peut être intéressant d'analyser les informations issues de la base de données du personnel telles que l'âge, l'ancienneté, le niveau de qualification, le niveau de formation…

Ces informations seront analysées :
• Par emploi,
• Par secteur,
• Par famille professionnelle,

…

En particulier, l'analyse de la pyramide des âges sera intéressante au niveau d'un emploi type ou d'une famille professionnelle car elle donne un ensemble d'indications pertinentes en matière d'aptitude ou de résistance au changement, d'expérience ou de savoir-faire.

Ainsi, une pyramide des âges équilibrée sera constituée d'un pourcentage équivalent de population dans les différentes tranches d'âge :

20 – 30 ans
30 – 40 ans
40 – 50 ans
50 – 60 ans

La gestion des entrées-sorties dans ces tranches devant faire l'objet d'un suivi rigoureux pour une gestion optimale des ressources humaines.

Il est essentiel pour l'entreprise d'anticiper sur les risques liés à un déséquilibre trop important dans sa pyramide des âges. Ainsi, dans le secteur des technologies nouvelles, la disparition des « vieux » programmeurs ayant la maîtrise de « l'existant » au profit de jeunes cadres potentiellement mieux formés et plus performants pose aujourd'hui un problème aux entreprises ayant été confrontées au challenge du passage à l'an 2000.

CHAPITRE 3 Recommandations

3.1. Recommandations par rapport à l'entretien d'appréciation

Il semble que l'objectif prioritaire de l'entretien d'appréciation est de motiver le salarié à faire encore mieux ou à mieux faire.

Encore faut-il reconnaître les résultats obtenus et les qualités de l'intéressé car il ne peut exister de motivation sans considération ?

La prise en considération de l'individu est essentielle.

Ainsi, les responsables doivent évacuer le « subjectif » pour laisser place aux faits objectifs. L'entretien doit être reçu positivement par le salarié. Un salarié dont l'entretien a été positif aura envie d'effectuer la même démarche en direction de ses subordonnés.

En conséquence, les entretiens doivent systématiquement être menés du haut vers le bas de la hiérarchie.

L'entretien d'appréciation est un outil indispensable à la GPEC.

Nous conclurons ces quelques observations sur l'entretien d'appréciation en parodiant la célèbre formule d'EINSTEIN :
$E = mc^2$

Pour l'exprimer sous la forme suivante :
Efficacité = Motivation × Compétence × Considération

L'entretien ayant un impact direct sur :
Le M. :   Motivation
Les 2 C : Compétence et Considération.

Les idées clés

Ce qu'il faut retenir de ces différentes méthodes :
- La simplicité dans la démarche
- Savoir « à quoi ça sert de bâtir une GPEC »
➡ Connaître la finalité

3.2. Recommandations par rapport à la mise en œuvre du plan de formation jusqu'à l'évaluation de la formation

Il convient de se poser les bonnes questions quant à la mise en œuvre du plan de formation.

3.2.1. *Qui doit être impliqué : La Direction Générale*

OBJECTIF :   Intégrer dans leur stratégie économique les ressources humaines.

CONSTAT :   Accélération des mutations économiques,
Accélération des mutations technologiques,
▼
d'où obsolescence des qualifications,
▼
gérer ces mutations.

RÉSULTATS : Augmentation de la rentabilité,
Meilleure compétitivité face à la concurrence,
Augmentation de la performance des collaborateurs.

3.2.2. Qui doit être informé : l'ensemble des acteurs

– Clarifier, expliquer les objectifs

– Montrer l'intérêt de définir des objectifs à chaque niveau hiérarchique : expliquer

« À QUOI ÇA SERT » ?

CONSTAT :   Manque d'adéquation entre les objectifs de l'entreprise et les besoins des salariés,
Manque de communication,
Manque de clarté, de précision, de compréhension,
➡ démotivation des salariés.

RÉSULTAT :   Augmentation de la communication entre tous les acteurs,
Meilleure adhésion aux objectifs de l'entreprise,
Augmentation de la motivation du personnel.

3.2.3. Comment développer des actions adaptées aux besoins ?

Mettre en place l'entretien annuel d'appréciation (ou de progrès).

Avec un double objectif : – élaborer un plan de formation,
             – évaluer les compétences.

a) Évaluation annuelle : effectuée par la hiérarchie directe,

b) Analyse des besoins : effectuée par le Responsable de formation (hors hiérarchie).

3.2.4. Comment gérer le plan de formation ?

a) Votre budget formation : 1 % de la masse salariale :

b) Les aides de l'État (document du centre INFFO)

c) Comment rentabiliser votre plan de formation ?

– logique d'épanouissement personnel
– logique d'investissement :

> Formation adaptée aux besoins
> Plan pluriannuel
> Évaluer la formation

– court terme : rapport de stage

– long terme : effets de la formation après une période de 3 ou 6 mois, en terme de résultats individuels et collectifs

d) Le retour sur investissement

Formations adaptations	court terme
Formations reconversions	long terme
Formations préventives	anticiper sur les départs à la retraite

L'ensemble de ces recommandations vise à optimiser la gestion du personnel dans une démarche globale en s'efforçant d'en mesurer les résultats.

3.2.5. *Comment évaluer la formation ?*

L'évaluation est un moyen d'aider la formation à remplir efficacement son rôle et à favoriser la mobilité.

L'évaluation poursuit un double but :

1. Contrôler les connaissances individuelles du salarié et vérifier ses capacités et connaissances professionnelles en fin de formation.

2. Évaluer les effets globaux de la formation sur la performance d'un service, mesurer les effets induits : en terme de performance individuelle et de performance collective (exemple : amélioration de l'existant, nouvelles technologies…).

Cela implique un suivi dans le temps des évolutions des comportements professionnels en situation de travail, les critères restant à préciser.

Conclusion

Un constat majeur ressort : c'est l'obsession du quantitatif.

Il semble que l'on doive dépasser le strict cadre de l'évaluation pédagogique pour apprécier les compétences acquises en terme de :

– niveau de formation atteint,

– capacité à exercer le métier, à maîtriser son poste.

Nous ajouterons que le niveau de précision utilisé dans l'évaluation de la formation est capital.

Trois niveaux de précision peuvent être définis :
• Je sais faire.
• Je sais faire avec l'aide de quelqu'un.
• Je ne sais pas faire.

Nous pouvons ajouter un quatrième niveau :
• Je sais faire « faire ».

Ce quatrième niveau nous renseigne sur la capacité du salarié à déléguer son activité.

Cela implique **de favoriser la mobilité**, en articulant le « développement des ressources humaines » avec la formation d'une part, en rapprochant les résultats de la formation, des objectifs quantifiables et mesurables d'autre part.

Les idées clés

La réussite de la mise en œuvre d'un plan de formation nécessite :
• D'impliquer la direction générale
• D'adapter les formations aux besoins
• D'évaluer les résultats de la formation

CHAPITRE 4 Les pratiques en entreprise ou administration

Rappelons au préalable que la gestion prévisionnelle et préventive des emplois et des compétences s'articule avec la formation selon le schéma suivant :

1 GPPEC	➡	concerne initialement la gestion de carrière des cadres.
2 Mode d'entrée	➡	le mode d'entrée semble être de deux types : – famille professionnelle – investissement.
3 Répertoire des métiers	➡	le service du personnel élabore des profils de poste (emploi type).
4 Formation	➡	analyse des besoins réels mise en place d'un plan de formation pluri-annuel : – formation/adaptation – formation/reconversion – formation promotionnelle.
5 Mobilité	➡	gérer une mobilité géographique. mise en place de formations promotionnelles entraînant une mobilité interne.
6 Organisation	➡	impact sur le mode de management et l'organisation : plus de responsabilités, initiative – autonomie des collaborateurs.

Nous avons vu sur un plan théorique, l'importance de la mise en œuvre d'une démarche de GPPEC dans les entreprises.

Ainsi nous pouvons repérer en nous appuyant sur la méthodologie développée par Dominique THIERRY et Christian SAURET[1], comment une entreprise industrielle s'est positionnée par rapport aux différentes familles d'entrée décrites par ces auteurs.

4.1. Cas pratique dans le secteur industriel

Dans les années 70, la gestion prévisionnelle des emplois, nous semble-t-il, concerne principalement la gestion des carrières des cadres.

Partons d'un exemple, dans une grande entreprise industrielle, les cadres ou ingénieurs grande école se trouvent mutés tous les trois ans environ en qualité de directeur ou sous-directeur d'usine en passant par les postes d'ingénieur fabrication ou entretien… Ils passent du siège social vers les usines : la mobilité géographique est obligatoire.

Un dossier sur cette population existe au service du personnel. Ce service tient une fiche individuelle sur laquelle figure leur formation initiale, les formations suivies dans le cadre de la formation continue, les postes tenus dans l'entreprise depuis leur date d'entrée dans la société, la technicité de la personne, l'évolution de carrière et son suivi par année, les souhaits de la personne, les lieux de déplacements en terme de mobilité géographique

Pour les autres salariés, des dossiers existent mais sans suivi particulier en terme de carrière ou de mobilité… Ces dossiers comprennent une lettre d'engagement ou contrat, les diplômes, le dossier de candidature. La mobilité interne a lieu en fonction des postes à pourvoir qui font l'objet d'un affichage.

Des dossiers de formation sont suivis manuellement au service formation.

En 1978, le service formation s'informatise et un historique de la formation est mis en place pour l'ensemble des salariés.

---

1. Publié aux Éditions l'Harmattan, développement et Emploi (Collection pour l'emploi), 2e édition 1994.

Cet historique doit être complémentaire au travail effectué par le service du personnel afin de faciliter la mobilité géographique pour les cadres en premier lieu.

Il existe un service de formation avec un responsable chargé de dépenser un budget formation en proposant une liste de stages auxquels les personnes peuvent s'inscrire mais il n'existe à ce moment, ni de politique de formation, ni plan de formation.

En 1980, nous recevons des orientations de la direction générale, nous devons mettre en place des formations « cadre » et définir des filières de formation pour les agents de maîtrise.

L'organisation et le style de management évoluent vers la prise de plus de responsabilités et plus d'autonomie.

Ainsi, nous ne pouvons plus nous contenter d'un recueil de données en formation, mais nous devons analyser les besoins réels.

Articulation GPPEC – Plan de formation

Dans les années 80/86, cette entreprise industrielle de 3500 personnes comprenant alors 15 unités de production réparties sur toute la France se trouve confrontée à un double challenge :

• gagner des parts de marché,

• renforcer sa compétitivité face à la concurrence.

Pour y faire face, l'entreprise doit moderniser son appareil de production. Ces évolutions rapides ne sont évidemment pas sans impact sur la gestion des hommes. La direction générale décide alors d'intégrer la Gestion des Ressources Humaines dans sa stratégie économique.

En référence à la démarche de GPPEC décrite par THIERRY SAURET, nous pouvons dire que cette entreprise cimentière a introduit la GPPEC selon deux modes d'entrée privilégiés :

1. L'entrée par les investissements car nous avons pu analyser les conséquences de chaque projet sur l'organisation du travail, les effectifs, le contenu des métiers et le plan de formation.

2. L'entrée par les familles professionnelles :
   Dans un premier temps, les cadres ont fait l'objet d'un traitement spécifique en terme de gestion de carrière, de formation ...
   Les ouvriers, agents de maîtrise et techniciens ne bénéficient
   quant à eux que d'un simple suivi administratif (fiche de candidature, diplôme, état civil ...)

La GPPEC fait état de la mise en œuvre d'un répertoire des
métiers. Le département formation met donc en place une description de poste avec la participation des salariés, ce qui
permet au service du personnel de définir un référentiel des
métiers types.

En parallèle, le service formation élabore l'entretien annuel
d'appréciation afin, de confronter les exigences du poste aux
résultats des entretiens (compétences, potentiel, désir d'évolution...), de déterminer les nouvelles compétences à acquérir
pour le salarié en terme de savoir, savoir-faire, savoir être et
faire savoir.

Ce rapprochement avec l'analyse des besoins effectuée auprès
des chargés de formation, hors voie hiérarchique, permet l'élaboration d'un plan de formation pluriannuel. (Les écarts entre
l'analyse des besoins réalisée par les professionnels de la formation et l'entretien d'appréciation mené par la voie hiérarchique
sont analysés par le département formation et avec demande
d'explication s'il y a lieu).

La mise en œuvre du plan de formation se déroule en plusieurs
étapes :
– L'analyse des besoins réels
– La mise en place d'un plan de formation adapté aux besoins.
   (Ce n'est plus un simple recueil de données et la diffusion d'un
   catalogue de stage).
– Un plan pluriannuel de façon à pallier les absences pour forma-
   tion.
– Un plan débouchant sur deux types de formations principales.

Devant l'importance des mutations industrielles, à savoir la
modernisation du processus de fabrication, la **formation
reconversion** pour le personnel d'usine devient une priorité.
Nous sommes ici devant un facteur essentiel de la démarche de

GPPEC ou la formation est pensée en terme d'investissement et fait partie intégrante de la stratégie économique de l'entreprise.

Dans les services administratifs, et avec l'émergence des nouvelles technologies, la formation développée s'apparente principalement à de la **formation adaptation**. Toutefois, la **formation promotionnelle** existe pour les ouvriers « électricien » et « mécanicien », validée par un examen validé par un jury professionnel.

Ces évolutions en matière de formation, de mobilité et de Gestion des Ressources Humaines ont un impact sur le mode de management et d'organisation. Elles amènent aussi une autre façon de travailler, un développement de la qualité tant côté produit que relationnel, en introduisant une meilleure communication, et permettant ainsi de résoudre de nombreux problèmes.

L'introduction d'objectifs, la mise en place de l'entretien annuel d'appréciation des performances, de formations adaptées à ses besoins, de la participation, de la description de poste, permettent au salarié de mieux se situer dans sa fonction, de réfléchir sur une éventuelle mobilité interne ou externe…

Pour que les salariés puissent participer à l'élaboration de leur fonction, il nous semble important qu'ils disposent d'autonomie, de responsabilités dans leur travail ; mais ce qui nous semble encore plus prioritaire, c'est le climat de confiance.

Les idées clés

Dans cette entreprise industrielle, trois axes essentiels sont mis en œuvre :
- Un management participatif dans une démarche qualité
- Les entretiens annuels
- Les plans de formation
➡Initiative et responsabilisation des salariés.

L'objectif majeur étant de faire face à la concurrence.

4.2. Cas pratique dans le secteur des assurances

Cet exemple part du constat suivant : les groupes d'assurances doivent désormais faire face à une concurrence accrue. Elles sont ainsi amenées en conséquence à fusionner ou à se restructurer. L'objectif étant d'une part d'obtenir une taille critique au niveau du marché européen et d'autre part de mettre en place une organisation qui réponde aux nouveaux enjeux technologiques, commerciaux…

Ces enjeux sont en effet de plusieurs types : tout d'abord commerciaux en se positionnant favorablement sur les nouveaux marchés porteurs de la santé et de la retraite, mais aussi techniques en dotant des commerciaux et les agences des nouveaux outils de communication et de gestion informatique.

Les sociétés d'assurance sont également confrontées à un vieillissement important de leur population salariée et à la gestion d'un encadrement très important en nombre. La promotion interne a été soutenue dans l'assurance jusqu'aux années 90 et le personnel possède en moyenne une ancienneté assez élevée dans l'entreprise.

Pour conduire les changements nécessaires à leur évolution, les groupes d'assurances mènent différentes actions dans le domaine des ressources humaines, ce sont :
– la mobilité externe avec incitation au départ en particulier pour le personnel le plus âgé ;
– la mobilité interne associée à la mise en œuvre d'une nouvelle classification.

Ainsi les salariés ont été amenés à décrire leur poste actuel et leurs activités. Ces informations sont ensuite analysées pour déboucher sur la création de nouvelles grilles comportant un nombre beaucoup plus réduit de classes qu'auparavant. À titre d'exemple : les cadres sont désormais répartis en 3 classes au lieu de 5 ou 6 auparavant sans compter les échelons.

Un exemple d'entrée par les classifications se trouve en annexe.

> **Les idées clés**
>
> Dans l'assurance, la mise en œuvre de :
> - fonctions repère
> - fiches de poste
> ➡ Élaboration d'une nouvelle classification

4.3. Cas pratique dans l'administration

Dans le cadre d'une école nationale de musique et de danse attachée à une collectivité publique territoriale, nous sommes intervenus entre autre sur la gestion des carrières et le développement du management participatif (groupes de travail : corps professoral et personnel administratif).

À l'issue d'une mission d'audit, nous avons mené une analyse des besoins en formation, et en parallèle nous avons mis en place « l'évaluation annuelle ».

Les besoins en formation sont nés de la prise en compte de dysfonctionnements, c'est-à-dire que la formation mise en place prend en compte obligatoirement le fonctionnement interne de l'organisation à cette période.

M. LESNE a souligné la difficulté à mettre en œuvre une pratique pédagogique orientée par d'autres finalités que les finalités dominantes, notamment celles dictées par le pouvoir. À partir de cette idée, il décrit trois axes majeurs dans sa pratique de l'analyse des besoins, ce sont :

- l'approche par la détermination des exigences de fonctionnement des organisations.
- l'approche par l'expression des attentes.
- l'approche par la définition des intérêts sociaux dans les situations de travail.

Il semble bien que dans cette école, les deux premières approches aient été dominantes.

Le constat majeur était le suivant : une mauvaise répartition des taches entre les personnes bloquait la communication et l'efficacité dans le travail au quotidien.

Nous avons donc été amenés à redéfinir les taches de chacun d'une part et à mettre en œuvre des actions de formation ciblées d'autre part.

En complément du premier axe, la seconde approche, basée sur l'expression des attentes est essentielle car elle sous-tend la notion même de pédagogie active.

Les stagiaires s'expriment sur leur situation de travail dans l'entreprise.

Revenons sur le sujet qui nous préoccuppe, la gestion des carrières et en particulier, la conduite de l'entretien annuel jusqu'à l'élaboration du plan de formation.

La connaissance des postes de chacun y compris des professeurs nous a permis de leur fixer les principaux objectifs en tenant compte des critères de performance suivants :

A ➡ Performances dépassant les objectifs fixés.

B ➡ Performances conformes aux objectifs fixés.

C ➡ Performances inférieures aux objectifs fixés.

D ➡ Résultats ne permettant pas de conserver la personne dans sa fonction actuelle au-delà de six mois.

Il s'agit d'analyser les résultats obtenus en matière de points forts et de points faibles

L'évaluation et l'analyse que l'on vient d'effectuer nous permet au cours de l'entretien de réfléchir sur les évolutions et les orientations possibles pour un autre genre de travail ou pour un changement de lieu de travail.

Nous voyons bien que nous envisageons avec le salarié, la mise en œuvre de la mobilité.

Compte tenu de l'ensemble de ces éléments, nous pouvons décliner les actions de formations souhaitées par le salarié et accordées par la hiérarchie.

Enfin nous concluons l'entretien par la prise en compte des commentaires de l'agent sur le déroulement de l'entretien. Le souci étant de montrer la réciprocité de l'échange de points de vue.

Cet entretien donne lieu à un document écrit qui sera validé par le Directeur de l'établissement et le Président.

Ultérieurement à ces entretiens, une analyse fine est réalisée dans le but d'élaborer un plan de formation triennal pour le personnel administratif.

Dans le contexte de la fonction publique territoriale, nous avons inscrit les agents aux concours internes auxquels ils pouvaient prétendre et nous avons prévu une phase de préparation aux concours selon les cas individuels.

Un projet de formation interne (formation – évaluation) visant à améliorer le fonctionnement de l'école à effet immédiat a été conduit par ailleurs.

Ainsi, une approche pragmatique du mode de management et de l'organisation basée sur la confiance, la délégation et la participation, la prise en compte des individus, de leurs souhaits et des possibilités d'évolution ou d'enrichissement personnel en matière de formation et de reconnaissance morale et sociale, aboutit, à ce que les personnes soient plus motivées et plus impliquées dans les projets de l'établissement, à donner un sens à leur travail.

Comme le souligne Sandra BÉLLIER-MICHEL, « *de même qu'il n'y a pas de motivation en soi, il n'y a pas de structure idéale en soi. Tout est question de cohérence entre un type de motivation et un type d'organisation* ».

En effet, l'individu attend une certaine reconnaissance et si le cadre de travail se prête à l'idée qu'il peut s'en faire, cela favorise l'acceptation de l'organisation comme un lieu où l'on peut investir sa motivation.

Pour conclure, dans le cadre de cet établissement, les agents semblent heureux « comme être autonome impliqué et responsable » dans leur travail et chacun à leur niveau.

Ils ont pris conscience de la nécessité de travailler en équipe et trouvent une certaine satisfaction dans les nouvelles possibilités qui s'offrent à eux à travers les groupes projet de créer, d'innover …..

« *La structure conditionne aussi l'évolution de la motivation à partir de la gestion des buts et des projets* » selon Sandra BÉLLIER-MICHEL.

Les idées clés

Dans cet établissement, les actions suivantes sont entreprises :
- Groupes de progrès
- Entretiens annuels
- Plans de formation triennal
➡ Plus grande adhésion et participation des agents

Conclusion

Dans le premier exemple, la démarche correspond à une entrée par les investissements comme le souligne D. THIERRY et C. SAURET. Le second exemple (assurances) présente des entrées se situant entre le plan à moyen terme et les familles professionnelles.

Une contradiction semble néanmoins apparaître entre la gestion prévisionnelle et les plans de formation par le fait que les populations non qualifiées paraissent insuffisamment formées. L'approche dans le tertiaire paraît ici sensiblement différente de celles des groupes industriels bien qu'une évolution soit actuellement en marche. Les entreprise tertiaires sont confrontées depuis quelques années à un environnement éminemment concurrentiel, elles sont engagées comme celles du secteur industriel dans un combat économique à l'échelle de la planète.

Selon J.-L. MULLER, elles doivent mener de front plusieurs combats : la qualité, le prix et le temps. Elles doivent désormais se différencier par rapport aux concurrents, élargir et diversifier la gamme de produits et services, innover.

« *La contrepartie de la protection statutaire qu'elles assurent à leurs salariés est la mobilité fonctionnelle et géographique. La relative sécurité de l'emploi est contrebalancée par des efforts* » *continus de mise à niveau des compétences et la renégociation des fameux acquis sociaux ».*

Dans les entreprises publiques, la qualité du service au client ainsi que la productivité progressent. D'autre part, la réduction des coût supportés par la collectivité est devenue un objectif prioritaire.

Ces changements en matière de Gestion des Ressources Humaines restent cependant trop souvent à l'état de « vœux pieux » pour un grand nombre de salariés. Trois motifs principaux sont évoqués.

1/ Le coût de la formation

Par rapport à ses capacités individuelles, l'individu est libre de restituer ce qu'il souhaite.

Investir en formation pour un individu coûte cher sans avoir la certitude pour l'entreprise de pouvoir garder la personne formée. Le salarié peut avoir envie d'aller travailler ailleurs après sa formation bien que la crainte du chômage limite ce risque.

De plus, l'élévation du niveau de culture générale des bas niveaux de qualification semble nécessaire avant d'entreprendre des formations réellement adaptées aux besoins de l'entreprise. Exemple : un agent administratif doit maîtriser l'orthographe avant de rédiger un courrier et de l'enregistrer sur un traitement de textes ; tout cela dépend du degré d'autonomie attribué au salarié.

2/ Le type d'organisation

Le type d'organisation peut aussi être un frein s'il ne favorise pas la participation des salariés et si le salarié ne fait qu'exécuter le travail.

Exemple : L'agent administratif dont le courrier sera rédigé par son supérieur hiérarchique n'aura qu'à recopier sans pour autant connaître l'orthographe.

En effet, tout dépend du type d'organisation que l'on souhaite développer.

Il nous semble que le taylorisme peut exister encore sous des formes plus dures à savoir un pouvoir technique centralisé et fort lié à une informatisation massive notamment dans le secteur tertiaire. Cela implique la mise en place de procédures contrôlées par une technocratie chargée de les faire exécuter. Certaines entreprises prennent cette orientation.

Dans un premier temps, nous observons une démotivation des salariés mais à terme cela peut avoir un effet subversif, avec apparition de nouvelles révoltes sous différentes formes (grèves, absentéisme élevé) en particulier dans les entreprises où cette participation a été mise en œuvre sans reconnaissance du travail du salarié et de la qualité de ce travail.

3/ La résistance des acteurs

Une certaine résistance peut s'exprimer de part et d'autre :
– du côté des patrons qui doivent considérer leurs salariés comme des individus capables de réflexion, responsables et autonomes.
– du côté des salariés qui doivent adhérer aux objectifs de l'entreprise et trouver dans l'intérêt collectif un intérêt individuel.

En d'autres termes, le salarié doit pouvoir intégrer son projet personnel au projet d'entreprise.

PARTIE 3
DÉVELOPPER L'EMPLOYABILITÉ

CHAPITRE 1 La construction d'un projet professionnel dans une démarche individuelle

Un projet personnel dépend avant tout de soi, c'est une démarche individuelle. Il peut y avoir cependant différentes causes ou éléments déclencheurs à la mise en œuvre d'un projet personnel.

Positionnons-nous dans un premier temps par rapport à des personnes ayant un statut « salarié ».

Les exemples qui vont suivre relèvent de « trajectoires », d'histoires des personnes, qui, au-delà de leur milieu social, ont eu envie de construire leur projet personnel.

La notion « d'habitus » selon BOURDIEU nous semble remise en cause aujourd'hui. En effet, cette manière d'être socialement « codée » nous a toujours intrigué comme si l'on entrait dès notre naissance dans un cadre de vie modélisé et si « structurant » que l'on ne pourrait en sortir. Cette façon d'être paraît limitative. Les interdits et autres tabous gagnent du terrain. L'être humain ainsi élevé a beaucoup de mal à faire des choix. Dire : « On efface tout et on recommence » n'est pas une notion facile à imager de façon concrète. Les peurs du changement imaginées par notre cerveau ne rendent pas l'existence facile.

Cette prise de conscience qui consiste à réagir en fonction de la « visualisation de notre vie » (nos rêves, desseins ...) n'est pas encore une acquisition mentale faite consciemment malheureusement.

La notion « d'habitus » est peut-être à revoir pour vivre mieux et être soi-même ?

L'importance des représentations mentales imprimées par notre culture et notre éducation implique la création de nouvelles représentations mentales propres à nous-mêmes, propres à chaque être malgré les influences du milieu ou nous vivons.

Les modèles qui font partie de notre société doivent nous servir à construire nos projets, nos cadres de référence « propres ».

Le travail d'introspection est sans doute une étape obligatoire pour réaliser pleinement notre vie à notre façon sans vouloir s'associer aux autres et revivre le projet d'autrui par manque d'objectifs propres.

Il est concevable que l'on ait besoin des autres, de leurs expériences et de leurs conseils pour grandir mais ce qu'il ne faut pas faire, c'est tomber dans le piège de l'imitation.

L'homme se construit progressivement en reconstruisant son univers.

Dans les exemples qui vont suivre, les salariés ont décidé de faire une demande auprès de leur Direction des Ressources Humaines pour obtenir un bilan de compétences ce qui leur a permis de voir les points forts et les points faibles les concernant.

Pour Sandra BELLIER-MICHEL, la construction d'un projet personnel est une démarche individuelle.

Les différentes personnes rencontrées ont construit volontairement leur projet personnel. Les raisons sont multiples mais l'envie de s'investir de façon durable s'inscrit davantage dans une logique d'histoire personnelle. Dans ce cadre-là, « l'habitus », objet social construit, est largement dépassé.

Différentes personnes ont été interrogées après un bilan de compétences qui leur a permis de vérifier leur capacité, de mieux se connaître et de repérer les axes de développement.

Ces personnes ont élaboré un plan d'action de formation avec la volonté d'atteindre les objectifs qu'ils se fixent. Pour suivre certaines personnes dans cet accompagnement du changement, il déploient une telle énergie pour réussir leur projet qu'on a le sentiment que rien ne peut les arrêter.

La motivation leur est propre et individuelle.

Nous rejoignons complètement Sandra BELLIER-MICHEL sur les difficultés à « motiver ».

« Vouloir motiver les salariés » comme on le lit et le dit partout aujourd'hui, n'a de sens que si l'on accepte de prendre en compte ce qui anime et donne vie à la motivation. C'est en étant à l'écoute du désir que l'on déclenchera la motivation. Plus le désir sera fort, plus la motivation sera profonde.

Les personnes vont croire, adhérer à un projet car ils se reconnaissent et se sentent valorisés pour y participer. L'aspect financier est certes un acte de reconnaissance sociale mais c'est autre chose qui les motive et leur donne envie de progresser.

Les entreprises sont-elles vraiment prêtes à s'engager dans une voie qui reconnaissent les salariés comme acteur à part entière ? Ou bien utilisent-elles le terme motivation pour obtenir la participation volontaire à leurs objectifs et aux valeurs qui les gouvernent ? N'y a-t-il pas détournement du terme motivation au profit de l'entreprise comme le souligne Sandra BELLIER-MICHEL ?

Prenons le cas d'un peintre en bâtiment. Son projet est de développer son activité en associant la peinture et les nouvelles technologies. Il souhaite créer un système qui permettrait au client de faire son choix selon un « cadre virtuel ».

Pour ce faire, cet homme doit apprendre à utiliser les techniques informatiques et le graphisme afin de proposer des produits attrayants à ses clients « potentiels ».

La raison qui est à l'origine de ce projet est liée à un facteur « maladie » dû aux effets nocifs de la peinture.

Un second exemple concerne une assistante logistique. Cette personne montre un engouement certain pour la création et le management. Elle a tenu dans le passé un restaurant pendant trois ans.

Peu importe la cause, mais ce qui prévaut c'est sa « détermination » à apprendre, à gérer la complexité. Cette personne a toutes les capacités pour transmettre un savoir. Par modestie, elle hésitait à reconnaître l'envie de devenir « Consultant-formateur-conseil ».

Mais les tests passés lors du bilan de compétences lui ont confirmé ses atouts et son potentiel.

Elle vient de reprendre des études supérieures pour l'amener à terme vers ces nouvelles fonctions. Sa ténacité dans ses premiers travaux de recherche nous montre sa motivation.

Cette personne a probablement toutes les possibilités pour tendre vers la mobilité interne et rentrer dans le club des « Consultants juniors ».

Parfois, des événements plus difficiles à vivre comme le « chômage » peuvent permettre à l'individu de faire un bilan de compétences afin de se repositionner au sein de l'entreprise ou bien de prendre conscience qu'un autre métier le passionne tout en tenant compte des possibilités du marché du travail.

Dans le stage « Profession secrétaire », nous pouvons trouver des personnes qui après avoir exercé vingt ans dans une banque privée peuvent s'orienter vers un métier susceptible de leur ouvrir d'autres portes. Dans ce type de stage où certaines personnes sont privées d'emploi, nous constatons toute la difficulté éprouvée par ces personnes qui se sont en quelque sorte « sclérosées » dans un même poste sur une durée trop longue.

La réflexion sur leur parcours et la capitalisation des « savoirs » demeure difficile.

Il est fondamental pour toutes ces personnes et quel que soit le secteur d'activité de repérer les « savoirs » acquis au cours de leur expérience professionnelle. Par exemple, les relations interpersonnelles, l'organisation et les méthodes de transfert des savoirs vers d'autres activités professionnelles.

Pour ce faire, il est indispensable d'utiliser une grille d'analyse et d'identifier son degré d'autonomie pour réaliser son auto-diagnostic.

Ainsi, la nécessité de valider les acquis professionnels appris en situation de travail est extrêmement complexe. Partir d'une compétence « acquise – maîtrisée » demande de définir des actions très précises et concrètes par rapport au poste de travail de l'individu.

Pour que « maîtriser la Bureautique » ait un sens, il semble préférable de décliner les différents niveaux de précision et d'action concrète.

Par exemple, utiliser le traitement de texte Word peut se décliner en :
– créer un modèle.
– faire une mise en page automatique.

CHAPITRE 2 L'impact des nouvelles formes d'organisation sur les métiers

La révolution culturelle, constatée au niveau du management ou de la technologie, a profondément modifié nos modes de fonctionnement dans l'entreprise. Les métiers, au-delà des impacts technologiques, ont subi des changements structurels ou organisationnels.

En nous situant sur un plan managérial, donc plus centré sur les hommes, nous pouvons constater que les comportements évoluent moins vite que les techniques. L'impulsion donnée par les nouvelles technologies dans tous les secteurs d'activité et dans tous les métiers accélère profondément les processus de changement organisationnels, structurels et comportementaux.

Nous allons évoquer quelques points d'éclairage sur des professions telles que les Secrétaires-assistantes ou les Formateurs.

2.1. Évolution du « métier » de secrétaire-assistante

Les entreprises confrontées à un environnement de plus en plus complexe, à une concurrence accrue due au caractère international des affaires, se trouvent dans l'obligation de modifier leur mode de management. Nous assistons aujourd'hui à un management de type plus participatif même si en parallèle l'entreprise y associe un autre type de fonctionnement patriarcal, bureaucratique ou technocratique selon les nécessités du moment.

Cette évolution ne s'effectue pas par hasard, elle est la résultante d'un certain nombre de facteurs favorables.

Dans un mémoire de recherche-action datant de 1989, nous concluons que des noyaux participatifs peuvent se former en fonction de facteurs favorables liés à la personnalité d'un cadre ou à son niveau d'expertise avec cette idée complémentaire qu'une personne qui a un niveau supérieur de savoir cédera plus facilement de son pouvoir aux autres.

Même si nous sommes loin d'assister à une généralisation de ce mode de management participatif, il semble qu'une évolution des modes managériaux français est en train de se produire. Dans la pratique et à travers l'expérience d'acteurs sociaux proches de directions générales ou de directions des ressources humaines, il semble que des changements s'opèrent grâce à leur autonomie dans leur travail, leur niveau de formation de base plus élevée associée à des connaissances pratiques sur l'entreprise et son environnement économique, sur le comportement, sur les techniques et méthodes d'organisation ...

À ce jour, il semble important d'apporter des modifications sur le plan des structures parfois dépassées par l'évolution des métiers et des nouvelles technologies, ainsi que sur les statuts liés à l'évolution des classifications et des qualifications, en particulier des fonctions tenues dans l'entreprise, afin d'éviter les déséquilibres. À titre d'exemple, une assistante de direction informée sur la stratégie de l'entreprise ou des objectifs de l'entreprise dans sa globalité et qui sera chargée en l'absence de son patron de diffuser ou de transmettre des informations à certains cadres ou confier une charge de travail à des cadres sans avoir un statut équivalent ne peut qu'engendrer des situations conflictuelles...

Les formations menées depuis 1991 auprès de secrétaires, d'assistantes de direction proches de directions générales ou de direction des ressources humaines nous ont donné envie d'approfondir ce sujet. En effet, ce public a rarement le statut cadre...

De plus, nous observons combien ces changements dans le management nécessitent une implication personnelle et professionnelle plus forte de ces personnes dans leurs relations avec toutes les catégories d'acteurs confondues.

En effet, nous avons pu découvrir auprès de stagiaires « assistantes de direction ou de manager » une évolution, certes minime, du rapport au pouvoir des cadres, par l'élévation du niveau de connaissances de ce personnel et de leur autonomie de plus en plus grande pour résoudre des problèmes liés à l'organisation administrative et relationnelle. Ces assistantes ne demandent plus comment faire tel ou tel travail, mais plutôt un avis ou un échange sur ce travail afin de savoir si cela répond mieux ou pas tout à fait à l'objectif.

Mais en contrepartie, cela exige des cadres de connaître le travail, les problèmes concrets, les compétences pour les résoudre...

Il convient ainsi d'expliquer le travail, les raisons pour lesquelles nous choisissons telle méthode plutôt qu'une autre, que nous avons opté pour telle décision plutôt qu'une autre. Certes cela demande des qualifications renouvelées donc de se former afin d'acquérir de nouvelles compétences et de pouvoir répondre aux questions qui peuvent nous être posées.

Émergence de nouvelles compétences

Le métier évoluant, la secrétaire de direction doit devenir plus professionnelle, mieux formée, capable d'assumer les chocs intérieurs ou extérieurs, agent de communication pour le progrès concerté…

Les secrétaires de direction ou assistantes qui encadrent d'autres secrétaires doivent pour leur part savoir animer leur équipe en les amenant à s'impliquer davantage et à améliorer la qualité de leur travail : à titre d'exemple, la qualité de rédaction, la qualité de présentation des documents, la qualité de l'accueil…

Passage de l'exécution à la participation

Au cours de leurs échanges, nous avons pu constater combien il est difficile pour ces assistantes de direction de convaincre leurs secrétaires que leur avis est précieux pour établir une réflexion plus élaborée ou encore positiver le fait qu'elles participent à la préparation d'aide à la décision.

Certaines secrétaires ou collaboratrices ont l'impression de travailler pour « rien » quand la décision retenue n'est pas la leur.

Bien qu'il existe des différences entre la population des directeurs et des cadres face à leurs collaborateurs en termes de prise de décision, et les assistantes, ces dernières doivent également faire face à des résistances de la part de leurs secrétaires, telles que :

« Pourquoi travailler plus et mieux, alors que nous ne serons pas plus rémunérées ; elle (l'assistante) est payée pour réfléchir. Elle nous flatte parce qu'elle veut obtenir ce travail, mais elle ne pense qu'à servir ses propres intérêts » disent certaines secrétaires.

Elles ont le sentiment d'être manipulées.

D'autres secrétaires sont plus positives quand elles perçoivent l'élévation de leur niveau culturel, mais cela n'est pas sans incidence sur leur comportement au travail ; en effet, elles ont parfois envie d'aller plus loin, par exemple, proposer et argumenter leur propre travail directement auprès du grand patron.

Or, dans bien des cas, pour des raisons de confidentialité, le patron ne souhaitera pas en parler avec d'autres personnes que son assistante.

Ces assistantes peuvent déléguer et nous les invitons à le faire mais dans la limite de la confidentialité.

Du fait de cette confidentialité, qui ne peut être expliquée notamment avant la prise de décision ou l'annonce d'une stratégie, ces assistantes se demandent comment motiver les secrétaires envers qui les exigences de travail deviennent plus importantes.

Pour les assistantes, plus leur patron assume de hautes responsabilités, plus leur niveau de décision est élevé ; ainsi les assistantes de direction qui exercent des responsabilités d'encadrement seront elles-mêmes plus exigeantes vis-à-vis de leurs collaboratrices.

De plus, les niveaux de formation de ces collaboratrices de secrétaires ou assistantes de direction (formation initiale - formation continue) étant de plus en plus élevés, la compétition se fait sentir avec des difficultés de communication. Ces assistantes doivent gérer des problèmes comme ce sentiment de frustration exprimé par la secrétaire ou la collaboratrice freinée dans son initiative personnelle.

Nous sommes dans le cas d'un pouvoir limité du patron dans le partage des éléments confidentiels qui font partie de sa fonction, comme pour le top management dont la prise de décision relève de sa fonction. Cependant, la secrétaire de direction peut partager une partie de son travail, voire le déléguer lorsqu'il n'a rien de confidentiel.

Ainsi les assistantes mettent en œuvre aujourd'hui une double compétence :
– dans leurs relations avec le management,
– dans leurs relations avec leurs collaboratrices.

Animer une équipe : travail en groupe et utilisation de la méthode « résolution de problème »...

Aujourd'hui, compte tenu des évolutions déjà citées, toute secrétaire est amenée à travailler en équipe, à rechercher des informations utiles, à savoir poser ou résoudre un problème...

La formation continue leur apprend à prendre plus d'initiative, à réfléchir avant d'agir, donc à devenir plus professionnel.

Quels en sont les effets pervers ?

Les effets immédiats sur les cadres intermédiaires

N'y a-t-il pas un risque de déstabilisation de ce public ne sachant pas répondre aux nouvelles attentes de ces secrétaires ou assistantes de direction, notamment en remplaçant la relation d'autorité par une relation de communication, d'échanges sur des dossiers afin d'apporter une réponse en meilleure adéquation avec les objectifs propres à chaque direction.

En effet, la participation revêt d'autres compétences, notamment de savoir expliquer une réponse négative, un choix. Par conséquent cela nécessite une capacité à animer une équipe, ne plus se contenter de l'autorité et du contrôle de façon directive mais inciter les personnes à l'information ascendante et descendante, à l'auto-contrôle.

Nous pourrions croire que les cadres confrontés à ce genre de difficultés sont plus souvent des autodidactes, cela n'est pas toujours le cas…

Cependant, nous avons trouvé, parmi les stagiaires exerçant dans les P.M.E/P.M.I. que nous rencontrons, des cadres ayant eu sous forme de promotion interne un poste à forte connotation technique, devant aujourd'hui encadrer une équipe de jeunes ingénieurs et ayant des difficultés à transmettre leur savoir, à montrer ou à expliquer. Parfois, certains viennent se confier à la secrétaire du patron qu'ils connaissent depuis longtemps pour lui avouer qu'ils sentent bien qu'ils ne sont plus à la hauteur…

Aujourd'hui, nous constatons un déplacement de certaines fonctions tenues par des cadres intermédiaires vers des assistantes de direction, public marquant moins de résistance que certains cadres pour apporter des améliorations dans l'organisation administrative.

L'évolution de la Bureautique supprimant certains postes d'exécution donne envie à l'assistante de direction de découvrir, et d'élargir ses connaissances. Le concept qualité sur des problèmes concrets d'organisation proches de son travail quotidien implique des améliorations que souvent des cadres négligent. Elle développe ainsi sa capacité à animer une équipe de secrétaires et chercher à résoudre des problèmes communs.

La refonte des définitions de fonction des cadres liée souvent à l'évolution des postes de travail informatisés est devenue nécessaire aussi dans les secteurs administratifs avec une évolution rapide de la Bureautique. Ces évolutions ont produit de nouvelles qualifications exigeant de nouvelles compétences. L'évolution et la spécialisation plus forte de certains métiers avec une demande d'un nouveau statut, en terme de reconnaissance sociale, en quoi est-il nécessaire de modifier les structures ? Vers quoi doivent évoluer les cadres ?

Quelles nouvelles compétences doivent-ils acquérir afin de ne pas se heurter à des problèmes conflictuels avec leurs collaborateurs ou collaboratrices s'ils ne peuvent répondre à leurs attentes en terme de travail ou de réponse à une question donnée ?

Enfin, comment gérer les intelligences de demain dans un monde de compétition en quête de pouvoir et de savoir, avec en début de carrière un niveau de formation plus élevé. Un BAC +2 ou un BAC +5 est fréquent aujourd'hui pour des postes d'assistantes de direction, alors qu'il y a environ une dizaine d'années le B.E.P. et le BAC +2 était plus fréquent. Ainsi, la capacité d'analyse et de synthèse, de compréhension et d'approche des problèmes de ces individus est plus rapide.

De plus, les assistantes de direction ou secrétaires de direction sont mieux représentées aujourd'hui, notamment en se regroupant et en travaillant ensemble sur des actions concrètes. Leur meilleure représentativité est d'autre part intimement liée à la complémentarité et au rapprochement « patron-secrétaire » au plus haut niveau de l'entreprise.

L'évolution de leur métier, la spécialisation pour certaines d'entre elles vers la Bureautique, la PAO... impliquent qu'elles profitent donc de ces changements et des évolutions inévitables dans l'organisation pour améliorer leur statut bien souvent en inadéquation avec les responsabilités qu'elles assument pleinement en jouant la complémentarité avec leur patron.

Conclusion

Ce métier est actuellement en pleine évolution. Après la démarche qualité, les nouvelles technologies modifient fondamentalement l'organisation du travail.

Nous sommes passés d'une forte dépendance hiérarchique à une automatisation de certaines tâches dans les années 80 avec l'arrivée de la bureautique et une augmentation de la technicité.

Dans les années 90, les restructurations et fusions amènent les entreprises à développer de nouvelles formes d'organisation et à réduire les coûts.

Les secrétaires et assistantes travaillent en équipe et évoluent vers un « secrétariat partagé », c'est-à-dire d'avoir des pôles d'activités communes et des activités spécifiques pour chacune d'entre elles. Des connaissances techniques plus pointues sont requises, en particulier dans le domaine de la gestion en réseau. Une plus grande implication dans le suivi des projets est demandée.

Comment dans ce contexte, capitaliser leurs savoirs et valider leurs acquis professionnels à travers les différentes expériences accumulées sur l'ensemble des secteurs d'activité ?

Comment, d'autre part, envisager le « transfert de compétences » vers d'autres métiers ?

Notre regard sur l'évolution de ces métiers depuis la fin des années 70 nous font penser que cet accompagnement du changement doit s'effectuer selon trois axes majeurs :

- Un renforcement du professionnalisme
  - maîtriser la technique (nouveaux outils)
  - organiser son temps et sa gestion personnelle à son poste de travail
  - cadrer les missions et s'investir dans des tâches à forte valeur ajoutée (suivi des projets et de l'activité du service) …

- Un élargissement du système de référence
  - se tenir informé (changements économiques, sociaux, culturels …)
  - favoriser les rencontres et échanges, communiquer …

• Une remise en question permanente
– se former en permanence
– faire le bilan de ses compétences
– piloter sa carrière

Ainsi, les « Secrétaires – Assistantes » pourront mieux se positionner sur le marché du travail et développer leur employabilité.

Dans le domaine tertiaire (banques, assurances) en particulier, de nombreux métiers administratifs sont ré-orientés aujourd'hui vers la qualité du service au client. Les services « Accueil et assistance clientèle », les plate-formes téléphoniques sont en très nette progression dans ces entreprises. Cela implique de développer des capacités relationnelles fortes pour les salariés concernés.

2.2. Évolution du « métier » de formateur

Le formateur ne doit jamais perdre de vue les finalités de l'entreprise tout en apportant satisfaction aux stagiaires. Selon G. MALGLAIVE cela est vrai du formateur d'entreprise dont la liberté commence où le pouvoir de direction s'arrête.

De même que les managers peuvent se poser des questions sur comment gérer les intelligences de demain, les formateurs doivent se poser la même question, sachant que la distribution du travail entre conception et exécution semble devenir un véritable problème alors que nous préparons les stagiaires à prendre plus de responsabilités, plus d'autonomie dans leur travail. Aujourd'hui, il semble que l'on confie aux jeunes diplômés, y compris des BAC + 5, des travaux relevant plus de l'exécution que de la conception alors que les classifications d'emplois exigent des niveaux BEP-BTS.

L'évolution du formateur

En qualité de formateur que devons-nous faire ?

Nous formons en essayant d'anticiper sur le devenir des entreprises et en tenant compte de leurs évolutions managériales.

Cela nous conduit à former les personnels à la méthode de résolution de problèmes toutes catégories confondues, afin d'obtenir des capacités d'analyse de plus en plus larges, c'est un des effets de la participation…

Au-delà de la satisfaction du stagiaire se pose le problème de l'évaluation de la formation dispensée et du retour sur investissement que l'entreprise peut espérer obtenir ?

En terme d'évaluation, le partenariat « formateur-entreprise » pourrait-il être une réponse pour rendre systématique l'analyse des besoins en se rapprochant des problèmes réels rencontrés dans les entreprises ? Le formateur « partenaire de l'entreprise » pourrait participer à la stratégie de l'entreprise en intervenant en amont des décisions en s'appuyant sur l'analyse des besoins.

L'investissement en retour pour les entreprises, ne peut-il pas être abordé en prévoyant la formation d'un collaborateur en vue d'un poste à pourvoir lié au départ à la retraite ou en terme d'adaptation à un nouveau poste de travail ?

Les stagiaires ont des formations de plus en plus élevées et possèdent déjà pour la plupart une capacité d'analyse ; pour les autres BAC + 2, BTS ou BEP, dans le contexte de la participation, ils ont pu acquérir ces capacités d'analyse à travers l'apprentissage de la méthode de résolution de problèmes.

Comment gérer ces intelligences et l'hétérogénéité dans les groupes ?

Compte tenu de ces paramètres, la formation ne va-t-elle pas devenir un lieu d'échanges, de conduite du changement, plus que d'acquisition de savoirs ?

Nous partons du principe que la formation aura été reçue en amont à l'école et en entreprise…

- Un travail collectif entre enseignants de l'éducation nationale et formateurs dans l'ingénierie de la formation est il envisageable ?

- Ce travail permettrait-il d'entrevoir la formation permanente non plus comme un correctif de la formation initiale mais comme un complément à la formation initiale en jouant un rôle intermédiaire entre l'éducation nationale et les entreprises…

- Pouvons-nous partir de l'idée de partage des savoirs pour qu'il y ait construction de programmes pédagogiques cohérents entre ces différents acteurs de la formation et ainsi faciliter les apprentissages ?

- Le formateur dans sa démarche doit-il privilégier l'expression des attentes de ses stagiaires, les exigences de fonctionnement des organisations que sont ses entreprises clientes ou encore les intérêts sociaux des groupes dont il assure la formation ?

Il semble bien que la position de formateur soit difficile. En effet, comme cela a été décrit dans la première partie, des enjeux économiques et sociaux considérables se dessinent dans les évolutions et mutations de la société.

Revenons sur la pratique au Conservatoire National de Musique et de Danse où l'exercice du management participatif fonctionnait. Nous avions pris conscience de l'exigence des agents administratifs qui préparent les dossiers et peuvent ainsi être amenés à nous proposer une ou plusieurs solutions. Certes, nous avions toute liberté pour refuser d'opter pour ces solutions, mais dans ce cas, nous devions expliquer la ou les raisons pour lesquelles nous refusions ou nous choisissions telle ou telle méthode, ce qui nécessite des connaissances et des compétences dans de nombreux domaines. À titre d'exemple, la connaissance du travail administratif dans son ensemble doit être maîtrisée par le responsable hiérarchique sinon, celui-ci peut se trouver en état d'incompétence, d'insuffisance professionnelle à l'encontre de ses collaborateurs. Ainsi, ce responsable ne sera pas reconnu comme étant leur chef.

Nous devons ainsi nous poser un certain nombre de questions sur le formateur, notamment, ce que les méthodes pédagogiques participatives impliquent chez le formateur en terme de savoirs, d'attitudes à adopter face aux groupes dont le niveau d'études est de plus en plus élevé…

Une démarche contractuelle par objectifs

Dans l'exercice du métier de Consultant-formateur à la CEGOS, il est agréable de constater la façon dont est construite la formation, à savoir la définition d'objectifs négociés avec les stagiaires dans une démarche contractuelle, un itinéraire pédagogique permettant une construction cohérente et articulée de la formation, des supports écrits auxquels le formateur comme le stagiaire peuvent se référer.

Il nous semble que ces éléments peuvent rassurer l'animateur dans ses débuts et lui permettre de porter toute son attention sur le groupe lors de la formulation de leurs attentes et l'articulation avec les objectifs du stage.

Auparavant, nous devions concevoir des exercices pédagogiques sur l'organisation du travail en ayant une connaissance très limitée des acteurs, de leurs besoins et de leurs attentes.

Ainsi, dans le cadre de l'école nationale de musique et de danse, notre connaissance se limitait à l'intitulé de leurs projets de travail relevant du domaine artistique. Notre objectif principal était de susciter les besoins en formation dans le corps professoral.

La gestion du temps est complexe dans ce cas précis, mais avec de la bonne volonté doublée d'une motivation pour réussir ce challenge, nous avons essayé de repérer dans chaque groupe les problèmes qu'ils rencontraient dans la réalisation de leur projet ; cela semblait correspondre à des problèmes d'organisation, de communication et de coordination entre les personnes.

Les résultats se sont avérés satisfaisants compte tenu du contexte, les professeurs avaient appris quelque chose mais dire qu'il y avait cohérence et articulation avec les objectifs de départ aurait relevé de l'exploit.

Les méthodes pédagogiques actives

Il nous semble que nous nous sommes seulement adaptés aux stagiaires. Nous avons ciblé dans leurs attentes un des objectifs que nous avons cherché à atteindre.

Dans ce cadre, notre attitude passait du directif au participatif. Le public auquel nous nous adressions méconnaissait le fonctionnement de l'organisation administrative, ses contraintes temporelles et budgétaires. Des mouvements importants de personnel avaient eu lieu. Une dizaine de personnes sur cinquante seulement était motivée, les autres voulaient travailler sur des projets artistiques.

Nous nous sommes appuyés sur ces dix personnes réparties dans six groupes, pour proposer de rédiger un planning d'actions réalisables en fonction des projets artistiques déterminés par chacun des groupes. Dans ce contexte et selon les directives reçues des supérieurs hiérarchiques, la formation devait être productive. Comme nous l'avons cité précédemment, le manque de connaissance du terrain, de préparation et de temps de réalisation de la formation (4 heures) nous ont contraint d'être directifs dans le travail à réaliser mais en ayant pris le soin de communiquer, d'échanger avec eux sur la décision retenue notamment sur les projets remis en cause ou réalisables.

Cet exemple nous a fait prendre conscience de l'importance de structurer la formation ; en effet, si nous laissons place à l'expression, à la communication, à la participation sans expliquer à quoi cela va nous servir pour la suite, les personnes ont l'impression de perdre leur temps, souvent car ils n'ont pas compris la raison pour laquelle leur solution n'a pas été retenue mais qu'une autre solution l'a été... ou de passer trop de temps en réunion par manque de structure, de travail par objectifs.

Ainsi la formation peut-elle s'appuyer sur un contrat pédagogique entre le formateur et le stagiaire, en suivant par ailleurs un itinéraire correspondant aux objectifs du stagiaire définis dans le contrat...

Nous retrouvons un contexte semblable dans l'exercice de la fonction de formateur utilisant les méthodes pédagogiques participatives où il détient une position d'accompagnateur. Ce qui signifie qu'au cours du déroulement du stage, animer de façon participative consiste à solliciter le groupe tout en essayant de maintenir une progression pédagogique ce qui implique du côté du formateur des connaissances appropriées sur la question à traiter, en l'occurrence la connaissance du fonctionnement de l'entreprise dans sa globalité.

En terme de conduite du changement, serait-il souhaitable de penser à une sorte de partenariat managers-formateurs de manière à mieux appréhender les choix managériaux et les objectifs économiques ?

Il semble donc que les méthodes pédagogiques participatives sont valables à partir du moment où les personnes ont une connaissance minimale théorique ou pratique, mais aussi qu'elles sont accompagnées d'objectifs et d'une cohérence pédagogique, car le risque est qu'il n'y ait pas de résultat en terme d'apprentissage. Ce dernier point ne peut générer qu'un certain mécontentement de la part du stagiaire.

Par ailleurs, ces méthodes nécessitent une maturité du groupe basée sur la confiance, la relation interpersonnelle, l'identité des objectifs, les attitudes de coopération, la capacité de percevoir et de traiter positivement les éventuelles tensions internes et les obstacles à la progression du groupe vers ses buts, ce que nous nous efforçons de faire à la CEGOS.

Dans ce contexte, l'animateur joue un rôle primordial pour rester « non directif », c'est-à-dire, n'intervenant ni sur le fond, ni sur les résultats du travail, mais régulant le climat de groupe, la libre expression de chacun, les interactions et les progrès du groupe vers ses objectifs.

Cependant, pour canaliser l'énergie du groupe, pour la diriger, il est nécessaire qu'il y ait un régulateur instruit des méthodes et des phénomènes de la dynamique des groupes.

Après avoir assuré les conditions matérielles, le développement de la maturité du groupe, l'égalité de droit, le formateur aidera le groupe à progresser vers ses objectifs, tout en utilisant l'énergie du groupe lui-même, en essayant de leur procurer le désir d'apprendre à apprendre et leur donner envie de s'engager.

L'attitude d'accompagnateur

Le formateur doit s'entraîner à prendre de la distance par rapports aux situations de conflit ; à titre d'exemple, il ne doit pas se sentir comme agressé quand un stagiaire se prend pour leader du groupe… Même si cela peut être difficile parfois, le rôle du formateur est de réguler le groupe, essayer de convaincre sans autorité ; il doit éviter d'être persuadé que seule sa parole est la bonne.

Dans ce cas, il donnera moins au groupe en terme de savoirs mais fera en sorte de faire progresser le groupe vers ses objectifs.

Bien que l'appropriation des savoirs par les stagiaires soit en dehors du champ d'investigation de cet ouvrage, nous avons pu vérifier à plusieurs reprises la satisfaction de ces derniers à obtenir des résultats opérationnels dans tous les domaines « transposables » dans leur entreprise.

C'est seulement dans ce contexte que nous pouvons parler de retour sur investissement de la formation au sens où nous l'entendons précédemment, c'est-à-dire par l'appropriation du contenu de la formation et sa mise en œuvre à son poste de travail.

En terme de prospective de gestion des carrières et de formation, il demeure fondamental de tenir compte des compétences requises pour développer les capacités d'adaptation. Il importe également de prendre en compte les différentes formes d'apprentissages à mettre en œuvre et connaître les niveaux de formation des groupes pour adapter des programmes cohérents par rapport à l'organisation et aux besoins des stagiaires.

Nous insistons en dernier lieu sur la nécessité d'établir un partenariat « Entreprise (DG, DRH, RF) – Organisme de formation – stagiaires ».

Le consultant-formateur est impacté par les nouvelles méthodes pédagogiques d'une part, par le développement d'un nouvel état d'esprit d'autre part.

L'expertise technique ne suffit plus mais il doit posséder d'autres aptitudes :

Sens aigu de la psychologie humaine (écoute active, compréhension, patience …), facultés d'observation, lucidité, perception de la réalité.

Il joue de plus un rôle de médiateur (percevoir clairement les choses), facilitateur, régulateur.

145

Il doit être capable de faire abstraction de son savoir pour conseiller avec détachement et objectivité.

En ce sens, le formateur est bien un accompagnateur du changement à condition qu'il accepte de changer ses habitudes et ses méthodes d'apprentissage.

Il doit bien se situer dans le « Faire Faire » et non plus dans le « Faire ».

À titre d'exemple, nous sommes intervenues sur la réorganisation dans les secrétariats.

Nous avons bien cherché à associer l'ensemble des acteurs impactés dans chaque entreprise concernée, du Directeur Général aux responsables opérationnels en incluant le personnel administratif.

Ainsi, chacun a pu s'exprimer sur ses attentes et nous avons construit un plan d'action de formation avec le concours des intéressés.

Les changements organisationnels et technologiques modifient profondément la façon de travailler dans les entreprises tant sur le plan technique que relationnel.

Tous les secteurs d'activité sont touchés par ces mutations et les métiers, confrontés à ces bouleversements (disparition – modification – création) exigent dans tous les cas de nouvelles compétences.

Des ingénieurs, dans des grands groupes, spécialisés dans un domaine pointu et qui n'ont pas vu venir l'obsolescence de leur technique peuvent se trouver en réelle difficulté même s'ils possèdent les facultés nécessaires à une reconversion. Tout est lié au temps passé dans la fonction et le risque de « sclérose » est grand. Les salariés ont davantage de difficultés à sortir de leurs habitudes.

Dans l'informatique où les personnes sont habitués à la mobilité, les programmeurs « COBOL » étaient en nette régression jusqu'à la prise de conscience du problème posé par le passage à l'an 2000.

Alors que dans le même temps de nouveaux métiers émergeaient tels que les facilitateurs, planificateurs, experts en

« GROUPWARE »… et d'autres disparaissaient peu à peu du fait de l'automatisation croissante des salles d'exploitation comme les opérateurs et pupitreurs.

Ces populations menacées dans des délais variables doivent opérer des reconversions dès que possible.

Tous ces nouveaux emplois ne sont pas encore clairement identifiés et les managers comme les salariés se doivent d'anticiper au maximum ces évolutions.

Le management par projet réduit les lignes hiérarchiques et remet en cause les relations de « pouvoir ». Comme nous l'avons vu précédemment, nous évoluons vers le partage des responsabilité et des savoirs. Dans l'immédiat, les salariés sont mis à contribution pour intervenir davantage de manière transversale dans des équipes « projet » où leur expertise « métier » demande à être renforcée pour mieux venir en appui auprès des chefs de projet.

Antérieurement cet appui était fortement orienté « technique ». Il prend désormais une dimension humaine et relationnelle de plus en plus large.

Enfin, il est clair qu'anticiper ces évolutions aussi diverses que complexes constitue une réelle difficulté mais le rôle de la « Gestion des carrières » est bien d'y parvenir et ainsi, favoriser une mobilité interne tous les 3 à 5 ans sur les postes, pour l'ensemble des acteurs de l'entreprise afin d'éviter toute « exclusion » du monde du travail.

CHAPITRE 3 La mobilité sociale

3.1. Un projet personnel intégré aux objectifs de l'entreprise

Dans l'hypothèse d'une évolution de l'organisation du travail liée aux nouvelles technologies, quelles compétences développer si nous voulons élargir la polyvalence et permettre la mobilité interne ?

Comme nous venons de le voir, le projet personnel d'un individu peut devenir un projet professionnel intégré aux objectifs de l'entreprise même si cela a fait l'objet d'une demande du salarié par le biais du bilan de compétences.

L'entreprise peut demander à son salarié de passer un bilan « points forts – points faibles » en vue de l'affecter sur un nouveau poste correspondant aux objectifs de l'entreprise.

Dans le cas contraire, le bilan de compétences peut servir à se projeter dans un projet nouveau dans la mesure où le salarié ne se trouve plus en accord avec les objectifs de l'entreprise.

Un salarié qui a le désir d'entreprendre et qui se trouve limité dans ses ambitions légitimes à l'intérieur de l'entreprise pourra avoir envie de se réaliser à l'extérieur de l'entreprise.

Les différents outils mis à sa disposition tels que l'entretien d'appréciation ou les différents bilans lui permettent d'avoir une première évaluation de ses compétences afin de favoriser sa mobilité interne ou externe.

Le bilan de compétences permet bien en effet de repérer les compétences acquises au cours de l'expérience professionnelle et comment le salarié pourra les transférer vers d'autres métiers.

C'est par une bonne visualisation de « la capitalisation des savoirs » que le salarié peut repérer ses capacités à tenir un nouveau poste ou au contraire être amené à développer de nouvelles compétences.

Dans le premier cas, nous parlerons de transfert de compétences, dans le second, de l'acquisition de nouveaux savoirs.

Toutes les étapes détaillées en amont influent sur ce processus et permettent de développer la mobilité sociale.

Un certain nombre de questions se sont posées ou se posent encore dans les entreprises :

- Comment est définie la fiche de poste : missions, niveau de responsabilité, niveau de rémunération ?

- Quelles compétences développer par rapport aux exigences du poste ?

- Existe-t-il un entretien annuel d'appréciation ?

- Quels sont les objectifs ?

- Permet-il de déboucher sur des besoins en formation ?

- Est-il possible de procéder à une description de poste, de la confronter aux évolutions souhaitables de la fonction et aux intitulés de poste existants, d'établir les écarts et enfin déterminer les nouvelles compétences ?

- S'agit-il d'adapter les compétences à l'évolution des besoins… ?

- Doit-on confronter les nouvelles compétences aux nouvelles classifications afin de déterminer les statuts correspondants ?

Ces questions sont importantes mais il paraît fondamental pour les personnes chargées du développement des ressources humaines d'intégrer les nouvelles compétences analysées et repérées sur les postes de travail dans les classifications. La reconnaissance sociale est source de motivation pour le salarié.

Un effort doit être également fourni par les directions des ressources humaines pour s'ajuster au mieux à la réalité des postes occupés par les salariés.

Dans cette démarche de gestion des carrières, il est question de partir de la réalité des entreprises, des métiers exercés au sein de la structure et de traiter les correspondances avec les classifications existantes.

Cela doit être le résultat d'un travail minutieux et « sur mesure ».

L'ensemble des acteurs de l'entreprise y compris les partenaires sociaux doivent être associés à ces projets ambitieux et complexes.

> **Les idées clés**
>
> La motivation du salarié dans l'entreprise passe par la mise en œuvre d'un projet personnel intégré aux objectifs de l'entreprise.
> ➡ Devenir entreprise de soi-même.

3.2. Développer ou favoriser la mobilité sociale « l'employabilité » ?

• Quel peut être l'intérêt pour l'entreprise et pour le salarié ?

Les chefs d'entreprise ont-ils intérêt à développer l'employabilité ?

Dans quel but ? Jouer un rôle social auprès de salariés dont les emplois sont menacés ?

Face aux restructurations – fusions d'entreprises, doivent-ils aider leurs salariés à se repositionner sur le marché du travail à travers une démarche individuelle ou collective ?

Doivent-ils aider les salariés à se projeter dans le futur afin de développer les compétences indispensables pour tenir un nouveau poste ?

Il nous semble en effet que les entreprises ont un rôle social à jouer auprès de leurs salariés en poste en les stimulant à se former et à construire un projet professionnel afin de maintenir ou d'enrichir leurs connaissances.

La formation peut leur permettre de définir d'autres représentations mentales et identitaires afin de mieux s'intégrer dans un monde en pleine mutation. Nous parlons de « choc culturel ».

Les salariés, nous semble-t-il, doivent s'approprier ces changements culturels et se préparer à apprendre tout au long de leur vie en intégrant notamment les nouvelles technologies.

Il serait également judicieux de favoriser les échanges multiculturels. Mais nous voyons déjà les freins et les limites à la construction de projets de formation Européens qui sont plus l'apanage des grandes entreprises. Des initiatives ont déjà eu lieu pour les PME/PMI regroupées collectivement.

Pour l'entreprise aujourd'hui, il semble plus facile de recruter de jeunes diplômés, de les former à la culture de l'entreprise et de les rémunérer à un salaire moindre que les anciens.

Décider de former ou de reconvertir une partie de son personnel relève de décisions stratégiques.

Mais n'y a-t-il pas un risque de perdre des ressources pour l'entreprise dont le « savoir » n'est pas toujours transférable ?

Dans le passé, quand l'ouvrier est devenu expert dans l'art d'utiliser sa machine, il était alors extrêmement coûteux pour l'entreprise de se priver de l'ouvrier.

Il existe des habiletés, des savoir-faire indispensables à la production qui pour des raisons diverses ne peuvent être élaborés et transmis qu'au cours de la production. « L'habileté », on ne peut pas la mettre en procédure, c'est l'art du geste de l'ouvrier. Cette qualité détenue par l'ouvrier lui est « propre ».

Dans les entreprises aujourd'hui, il existe peut-être des « ressources rares » propres à l'individu qui ne sont pas obligatoirement transférables d'un individu vers un autre.

L'expérience ne se transmet pas. L'individu partira de l'entreprise avec ses qualités propres qui viendront à manquer dans certains cas. Nous touchons ici aux limites des procédures de transmission d'un savoir…

PARTIE 4

LE MANAGEMENT
PAR LES COMPÉTENCES

Introduction

Les restructurations, fusions d'entreprises provoquent chez le manager une remise en question de son identité managériale. Nous constatons aujourd'hui dans les entreprises un engouement pour se former à l'efficacité personnelle, au management afin de mieux gérer la complexité dans les organisations. Dans les années 70, nous observions déjà la même démarche… Permettre aux individus d'évoluer dans leur mentalité en suivant ce type de formation demeure indispensable. En effet, avant de mettre en place de nouvelles formes managériales tel que le management par les compétences, découvrir « qui sommes-nous ? comment fonctionnons-nous ? » sont les étapes à franchir avant de diriger une équipe de nos jours. Se préparer à une évolution du management passe par l'individu dans toutes ses dimensions intrapersonnelles et interpersonnelles afin de mieux appréhender les difficultés stratégiques, psychologiques et environnementales…

Pourquoi s'intéresser à la trajectoire professionnelle d'un homme, ancien officier supérieur qui, de prime abord, paraît particulièrement insolite. En effet, cet ouvrage permettra de puiser dans son histoire des éléments spécifiques, en terme de stratégie, de relations interpersonnelles, de motivation, de qualités intrinsèques, pour avoir mené à bien un parcours professionnel original. Nous pourrons voir comment il a poursuivi une vie militaire confrontée à des événements variés, ce qu'il a pu transposer de celle-ci vers la vie civile dans une fonction plus restreinte de relations humaines « la Fonction Personnel ». Au cours de sa carrière militaire, son vécu expérientiel nous montre comment il a tiré profit des enseignements passés, des techniques acquises par la formation continue pour créer, maintenir, insuffler un climat social satisfaisant dans un contexte difficile dans le secteur de la sidérurgie. Nous verrons sur quel système de valeurs il s'appuie pour faire fonctionner un établissement aux personnels de cultures variées et quel rôle social il joue pour éviter tout conflit. La formation suivie au C.N.O.F. en 1975 destinée aux responsables du personnel lui a permis de prendre du recul par rapport à son expérience pour conduire les actions dans le cadre de sa fonction.

Cet exemple nous permet de repérer des éléments fondamentaux pour donner matière à réflexion pour redéfinir une éthique managériale et comprendre en quoi consiste le rôle d'un manager aujourd'hui dans nos entreprises nationales ou multinationales aux identités culturelles multiples. Il nous semble essentiel de se poser des questions à partir d'expériences plus ou moins complexes et qui peuvent être transposables aujourd'hui dans un contexte où l'introduction des nouvelles technologies provoquent des changements profonds de métiers et en particulier, pour les managers de demain, à savoir :

Sur quels principes fondamentaux s'appuyer ? Quels sont les pré-requis et les qualités indispensables ? Quelles sont les nouvelles compétences à développer ? Comment gérer ces mutations, ces ruptures dans notre façon de travailler ? Quelle formation complémentaire réaliser dans le cadre de l'interculturel ?...

Au cours de notre expérience de consultante, et en particulier ces quatre dernières années, nous constatons à travers les récits de stagiaires dans des séminaires de formation ou dans le cadre de diagnostic d'organisation, des problèmes managériaux sous-jacents. Certains entraînent des conflits graves, pour lesquels les solutions n'étaient certes pas d'y répondre par la formation, mais probablement davantage par la médiation. Alors que d'autres dirigeants, pour plus de rentabilité, managent leurs équipes par la pression, par le stress, voire par du harcèlement…

Nous voyons bien déjà depuis quelques années que l'excès d'exigence dans la productivité, la compétitivité des entreprises, mêlée à des fusions et des restructurations d'entreprises ont eu un impact négatif sur la qualité du management dont les effets sont une grande démotivation des cadres à tous les niveaux, avec un manque de repères identitaires en terme de valeur, d'exemplarité…

Naturellement, il n'est pas souhaitable de voir réapparaître des « gourous » du management mais de prendre conscience des réalités de l'entreprise, d'anticiper fortement sur les compétences à développer, d'inciter le personnel à se former et à retrouver un certain plaisir à travailler en développant des relations sociales satisfaisantes, pour une meilleure efficacité et une plus grande performance de l'entreprise, dans le respect de la qualité…

Ces recommandations nous semblent essentielles pour revaloriser et redynamiser la fonction managériale, et en référence à Vincent LENHARDT retrouver des cadres « responsables et porteurs de sens ».

CHAPITRE 1 Pourquoi et comment redéfinir son positionnement dans l'entreprise en tant que manager ?

Aujourd'hui, nous constatons dans les entreprises une grande démotivation des cadres et de l'ensemble du personnel pour des raisons multiples : fusions ou restructurations, absence de management, manque de clarté dans les objectifs, la pression, le stress, le manque de respect… Parfois, certaines personnes expriment le fait de ne pas avoir de managers capables de les orienter, de les entraîner…

D'autres citent leur manque de charisme, de prise de risques, de prise de responsabilités.

Pour ces différentes raisons, il me paraît essentiel de commencer par définir des valeurs communes pour mieux manager... Derrière tous ces mots, lorsque nous cherchions à approfondir l'analyse pour mieux comprendre, il ressortait les propos suivants : « En qui pouvons-nous avoir confiance maintenant ? Avant lorsqu'un chef nous disait quelque chose nous pouvions lui faire confiance et le suivre dans ses actions, aujourd'hui c'est blanc et le lendemain c'est noir... nous ne comprenons plus rien, nous n'avons aucune ligne directrice, tout le monde s'en moque »... Les cadres se disent prêts à coopérer et à prendre leurs responsabilités mais ils veulent être informés des difficultés que l'entreprise peut rencontrer, des changements de cap et pouvoir agir dans le respect de chacun. Il leur faut pouvoir maîtriser aussi la gestion de leur temps, avoir des temps de réflexion et de travail pour mener à bien ces projets. Les nouvelles technologies ont pu leur apporter un gain de temps en évitant des déplacements inutiles mais la surcharge de travail ou des temps mal évalués ne leur ont pas permis de tenir leur fonction de manager, dans les règles de l'art.

1.1. Quelques repères sur les valeurs et sur les comportements

Commençons par introduire une réflexion sur les valeurs selon Louis-Marie MORFAUX, dans son *Vocabulaire de la philosophie et des sciences humaines*. Définissons premièrement en quoi consiste la valeur dans son sens le plus ancien : vaillance, caractère de celui qui est valeureux, qui montre de la force et du courage au combat. Sur le plan philosophique c'est la valeur en général ou valeur spirituelle, qui comprend principalement les valeurs du vrai, du beau et du bien, présentant à la fois le caractère du désirable, du délectable (valeur subjective) et le caractère de l'universel qui mérite d'être désiré (valeur objective)... Sur le plan moral, la valeur morale ou les valeurs morales qui prescrivent des normes à la conduite. Elles recouvrent des conceptions différentes ou opposées selon les auteurs Platon, Nietzsche, Sartre...

Deuxièmement, l'éthique, partie de la philosophie qui a pour objet les problèmes fondamentaux de la morale (fin et sens de la vie humaine, fondement de l'obligation et du devoir, nature du bien et de l'idéal, valeur de la conscience morale, etc.) ; conception ou doctrine cohérente de la conduite de la vie.

La notion de valeur prend tout son sens ici avant de parler d'éthique managériale.

Avant de poursuivre sur les valeurs, interrogeons-nous sur les fondements de nos attitudes profondes et en quoi ces postures mentales conditionnent et structurent l'action ?

Comme le souligne Pierre CASPAR dans la préface de l'ouvrage de Vincent LENHARDT, « trouver un sens et une cohérence à chacun de nos actes », il me semble qu'en terme de management, nous devons aboutir à des formes de management autres que celles qui ont causé des dégâts humains sur le plan psychologique mais également sur le plan de la performance économique. Aujourd'hui, aucun dirigeant, nous semble-t-il, n'osera affirmer que le management par le stress ou par la pression a eu un effet positif sur les résultats économiques et financiers de l'entreprise ; bien au contraire, ces mêmes dirigeants qui ont pris le temps et le recul nécessaire vous parleront d'un constat d'échec… En effet, prenons le cas de l'introduction des nouvelles technologies : au fait d'avoir trop souvent imposé l'outil informatique qui nécessite de se former à son utilisation, s'est ajouté la surcharge du travail pour gérer le quotidien administratif qui incombait aux managers, aux cadres, et de conception pédagogique pour les consultants dans le cadre d'une organisation évoluant vers « zéro secrétaire » dans les grandes multinationales dans les années 90. Heureusement pour ces dernières entre 1995 et 2000, certaines entreprises après avoir constaté des dysfonctionnements de tous genres en terme de dossiers administratifs : des réclamations clients, des erreurs d'adressage, un manque de suivi dû au fait de l'absence de secrétaire et de cadres surchargés qui ne font que répondre au plus urgent ; certains dirigeants considèrent maintenant qu'il est probablement essentiel de se pencher sur l'évolution de ces métiers et certainement pas de les voir disparaître. En effet, nous sommes loin de la démarche qualité totale : du **« zéro défaut »**, **du « zéro mépris »**…

L'ère de la communication à travers intranet

Prenons l'exemple de la communication orale. Elle ne fonctionne pas mieux pour autant en dépit d'intranet (réseau interne de communication à l'entreprise). Réapprenons nos vieilles théories sur la communication. Elle ne va pas de soi. Nous savons bien qu'il ne suffit pas de dire « communiquons » pour que tout le monde communique. Communiquer est avant tout un art, dans le sens qu'il est indispensable d'écouter, de comprendre et de reformuler dans le but de vérifier si le message est bien compris.

Développer ces nouveaux outils de communication par l'informatique est indispensable mais nous devons également veiller à ce que les informations ascendantes et descendantes soient exactes. Les autres moyens mis en œuvre doivent aussi faire l'objet d'une vérification pour que l'information soit comprise, sous forme de réunions, d'échanges, de face à face…

Revenons à nos attitudes et appuyons-nous sur l'analyse transactionnelle d'Éric BERNE. Dans les différents dysfonctionnements que nous venons de citer, nous verrons dans l'entreprise des comportements divers se profiler. À travers cette technique d'analyse : les positions de vie, les trois états du moi : parent-enfant-adulte, les messages contraignants…, il nous semble important de prendre en compte aussi bien les aspects positifs que négatifs. Chaque attitude peut être perçue positive par certains individus et négative par d'autres. Il existe cinq messages contraignants : « sois-parfait », « fais-plaisir », « dépêche-toi », « fais encore un effort », « sois-fort ». Ces messages conditionnent nos comportements, depuis l'enfance. Ils agissent comme des voix intérieures que nous nous répétons et deviennent négatifs et contraignants lorsque nous les subissons de façon inconsciente. Prenons l'exemple du message contraignant « sois parfait ». La personne qui d'après un test a ce message est organisée, méthodique, mais il peut représenter un inconvénient si celle-ci est trop « perfectionniste » dans le sens qu'elle ira trop dans le détail, déléguera difficilement… Dans l'exercice de notre métier de consultant, nous sommes souvent amenés à travailler sur nous-mêmes, à nous remettre en cause face à nos pairs, face à nos clients.

La prise de conscience du comportement et du sens donné à l'action

Dans ce cas-là, que peut signifier « coopérer et conduire notre changement » selon Vincent LENHARDT. Dans la mesure où nous avons la volonté de nous remettre en cause et surtout de donner du sens à notre action, le travail sur soi consiste en un premier temps à prendre conscience de notre comportement et de ce qui peut gêner les autres dans leur organisation. Prenons l'exemple du « perfectionniste » il peut s'agir d'éviter de reprendre ou de refaire deux ou trois fois le même travail. Dans une activité d'ingénierie de formation, le fait de comparer avec d'autres collègues consultants ou formateurs le temps passé pour rédiger un support pédagogique peut être un moyen de s'améliorer en s'entraînant à aller à l'essentiel, même si cela peut sembler incomplet ou insatisfaisant au début. La ténacité de la personne qui a ce message fort lui permettra de poursuivre ses travaux de rédaction en procédant objectif par objectif, étape par étape. Au fil du temps, ce sont les résultats obtenus auprès des stagiaires qui lui permettront de réduire la contrainte de ce message. Etre capable de remettre en cause sa façon de faire sans frustration relève de l'exploit au départ mais lorsque nous y parvenons et surtout quand d'autres personnes remarquent cette évolution, nous pouvons dire : nous avons atteint ce premier objectif. Chercher à améliorer son comportement dans ses relations de travail peut signifier leur donner un sens.

L'implication du management et le développement de l'autonomie

Chez Vincent LENHARDT, il existe cinq degrés d'autonomie : « la dépendance », « la contre-dépendance », « l'indépendance », « l'interdépendance » ; nous nous intéressons ici au « **5ᵉ degré d'autonomie : l'accès au sens** ». Bien souvent, nous prenons conscience que la contrainte que nous supportons vient du fait que nous recherchons une certaine forme de reconnaissance, non seulement par nos managers mais également par les personnes que nous formons. L'acceptation de la diversité des situations de formation rencontrées nous permet de comprendre que l'essentiel est de répondre aux questions des stagiaires et de leur donner un document synthétique afin d'avoir des repères. Il est également essentiel de leur faire s'approprier le savoir en tenant compte de leurs besoins et comprendre à quoi il peut leur servir dans l' entreprise.

À travers certaines missions de consultant-coach, nous avons constaté que l'engagement du top management à soutenir le candidat dans ses efforts pour tenir le poste et le travail de préparation pour prendre un poste de « manager » conduisent le « coaché » à d'autres prises de consciences ; en effet, celles-ci peuvent se révéler contraire à sa personnalité. Dans ce cas, en accord avec les deux parties, la personne souhaite évoluer vers une autre fonction également valorisante mais plus orientée vers la notion de travail en équipe.

Prenons l'exemple de cette future chef de service qui a un directeur général très directif avec ses cadres, toujours dans le contrôle car lui-même se sent en insécurité. Notre mission de coach consiste à la rendre apte à animer une équipe, décision imposée par sa hiérarchie. Or, cette future responsable a déjà un positionnement ambigu vis-à-vis des cadres par le contrôle qu'elle exerce par délégation et de l'équipe administrative qu'elle doit encadrer. Dès le début du contrat, elle ne cesse de répéter : « elles sont jalouses et je ne pourrai pas travailler avec elles car elles ne font rien de bien, je dois tout leur dire ». Cette dernière nous cite l'exemple de l'enregistrement du courrier : « C'est facile, j'ai préparé le tableau avec les thèmes, la date d'entrée... Il n'y a qu'à saisir en informatique ». Pour elle, il suffit de dire et de montrer comment elle pratique pour que ses collègues soient en capacité de faire le travail. Elle a ses propres représentations sur la façon de le faire et a omis qu'il faut du temps à son équipe et à chacun de ses membres pour s'approprier le contenu de leurs nouvelles fonctions et le changement de l'organisation. De son côté, l'équipe doit aussi accepter sa nouvelle hiérarchie. Cette future responsable a envie d'évoluer en se distanciant du management de son directeur général, celui-ci étant rejeté par ses chefs de département, et en même temps elle adhère à son type de management. Son management est loin d'être intégrateur mais plutôt paternaliste. À travers la phase de diagnostic mené préalablement au sein de l'organisation, et nos échanges contractuels, elle envisage de maintenir cette autorité et ce contrôle sur le travail des cadres, souhait de son directeur général, comme sur celui de l'équipe administrative. Elle est donc en **état de dépendance** vis-à-vis de son directeur général et n'est pas encore prête à changer. Nous rejoignons complètement Vincent LENHARDT quand il écrit qu'il est important de « différencier une situation bloquée liée à un traumatisme dans l'enfance ou autre et une situation de véritable développement ».

En effet, dans l'entreprise, il n'est pas possible d'aborder un travail thérapeutique. En qualité de coach, nous devons nous contenter de réaliser un travail de développement personnel, notamment en prenant en compte :
– Des attitudes et le comportement au regard de soi-même et des autres à travers des « positions de vie »,
– La façon dont la personne gère ses comportements et sa relation avec les autres.

En l'occurrence, pour cette future responsable, il n'est question que de développer **son identité managériale.** Ainsi, nous avons cherché à vérifier sa capacité d'écoute, sa façon de mener un entretien, sa capacité à animer des réunions et sa capacité à gérer ses émotions et son changement. De son côté, il en est de même pour le coach, pour être en capacité de développer son identité managériale face à son équipe, sans occulter un retour sur soi.

Dans le prochain chapitre, nous pourrons voir d'une part, à travers quelques exemples pratiques combien la relation à soi nous semble importante. C'est au cours de notre réflexion sur le travail de **« coach »** et après l'avoir assumé sans formation préalable qu'il nous semble utile et indispensable de tester et notamment de vérifier si notre **identité relationnelle** est suffisamment développée, c'est-à-dire si nous sommes capables de nous adapter à des personnalités différentes. Nos managers ont déjà probablement évalué nos capacités à le faire, cependant pour un « jeune coach » non préparé à mener ce type de mission, cela peut le mettre en situation d'échec face à une situation bloquée où pour des raisons personnelles, la personne coachée ne pourrait honorer son contrat. En qualité de « coach » une démarche personnelle a pu nous aider pour le bon déroulement de cette mission en prenant conscience que tout jugement sur la personne coachée se serait avérée catastrophique pour elle-même comme pour l'institution. Il est donc important de tenir compte des aspects humains et organisationnels afin de permettre une évolution différente de celle imposée par sa direction correspondant aux aspirations individuelles et collectives au sein de l'institution elle-même en évitant tout conflit. Une formation préalable ou un accompagnement par un « coach senior » nous semble fondamental pour éviter une situation d'échec mal vécue par l'une ou l'autre des deux parties.

D'autre part, la relation à l'équipe prend une dimension également essentielle pour le métier de « coach » comme pour tous les autres métiers de responsables, managers, facilitateurs, dès qu'il s'agit d'avoir à entraîner des êtres humains dans des domaines divers : de conduite de projets informatiques, de formation, de process industriels, de changement organisationnel…

Indépendamment de notre relation à l'équipe, assumée dans le cadre d'une direction administrative et financière d'une école nationale de musique et de danse, naturellement bien évaluées par nos supérieurs hiérarchiques, nous citerons deux exemples qui viennent appuyer l'idée de Vincent LENHARDT « une équipe performante à terme ne peut être qu'une équipe solidaire ». Dans cet établissement, nous avons mené tout d'abord une étude préalable sur le fonctionnement de l'établissement puis dans le cadre d'une action de conduite du changement, nous avons mis en œuvre des formations en interne pour les personnels administratifs : accueil, gestion du temps, classement et communication ; pour le corps professoral, nous les avons formés à la gestion de projets et à travailler en équipe. L'objectif recherché a été atteint, à savoir une amélioration de la communication entre l'équipe administrative et les professeurs.

À l'inverse, en qualité de consultant nous avons hélas pu observer la compétitivité existante au sein d'une organisation d'entreprise, cela ne peut être que néfaste et nuire entre autre à un esprit de solidarité. Comme nous l'évoquons dans le préambule, un management de pression où le harcèlement moral devient une pratique courante dans l'entreprise est à proscrire. À titre d'exemple, quand un management par la compétition existe, la confiance devient méfiance et chacun critiquera le travail de l'autre sans la moindre motivation pour construire ensemble et partager les richesses intellectuelles de l'équipe. Les différences ne sont pas acceptées en terme de connaissances et de compétences. L'angoisse, la peur de ne plus être intégré à l'équipe s'ajoute aux problèmes de restructurations inéluctables où chacun sait qu'une réduction d'effectifs est à prévoir dans certaines grandes entreprises compte tenu de l'évolution des métiers.

Enfin, pour la relation au groupe, nous verrons aussi pourquoi il est essentiel de se pencher sur ce travail sur soi, plus particulièrement sur cette capacité d'autonomie qui ne doit en aucun cas nuire à la notion de groupe, en étudiant en quoi cela consiste et est différent de la relation d'équipe. À titre d'exemple, c'est à partir de l'identification des compétences du groupe que nous pourrons les mutualiser en analysant leur complémentarité pour mieux développer les projets transversaux. Trop souvent, des managers influencés par l'effet de mode commettent l'erreur de vouloir développer le management transversal sans préparer les équipes. Nous nous apercevons très vite des résistances et des conflits sous-jacents dès que nous avons comme objectif pédagogique de favoriser la cohésion d'équipe. Fixer des objectifs clairs et constituer un « groupe projet » restent insuffisants…

En conclusion, voici les valeurs que nous pouvons définir comme indispensables à une évolution vers le management par les compétences, à savoir :

1 – Responsable dans le sens de s'engager afin d'être en capacité d'évoluer vers un « management intégrateur » en particulier être en cohérence avec soi et avec les autres.

2 – Respect dans le sens où il nous semble capital de conserver la dignité de l'être humain, d'accepter l'autre et ses différences, ce qui signifie être en capacité de s'ajuster.

3 – Solidarité dans le sens de l'équipe, ce qui signifie être en capacité de partager ses connaissances, de repérer la complémentarité de ses compétences avec les autres, de savoir faire abnégation de soi.

4 – Justice dans le sens de l'équité entre les aspects individuels et collectifs ce qui veut dire pour des dirigeants d'être en capacité de définir une politique de rémunération, des ressources humaines articulée avec la formation.

Naturellement, des limites peuvent concerner le fait de développer des champions ce qui veut dire toujours selon le même auteur que les dirigeants devront être en capacité d'identifier dans leurs potentiels le narcissisme et les égoïsmes individuels et collectifs.

1.2. Vers une nouvelle identité managériale

La création d'universités d'entreprises ou d'universités du management prend tout son sens.

En effet, les fusions d'entreprises ont provoqué des ruptures dans la culture d'entreprise existant dans chacune d'entre elles. Chaque société souhaite conserver son identité première. À travers une expérience, dans un grand groupe industriel, nous nous souvenons toujours des différences marquées dans les esprits même vingt ans après. Les formations mises en place pour aider les directions et les salariés à créer une meilleure cohésion d'équipe restent insuffisantes pour impulser un changement profond. Il est probable que le développement du management participatif puisse jouer un rôle positif et constructif. Cependant il est indispensable de laisser et de donner du temps à ses managers pour être acteur de leur propre changement et conduire le changement pour les autres.

Certaines universités d'entreprises se donnent les moyens de donner un nouvel élan à la culture d'entreprise en impliquant la direction générale, en développant des projets y associant les managers intermédiaires dans un but d'évoluer vers un management par les compétences, levier stratégique du changement en favorisant la formation sous toutes ses formes et l'évolution des mentalités…

C'est un challenge pour demain difficile à réussir mais prometteur pour construire une nation pouvant donner des perspectives d'avenir aux jeunes et aux seniors, et ainsi contribuer à développer l'union européenne sur le plan économique, technique, social et humain.

Nous sommes dans un système organisationnel aujourd'hui très instrumenté même si cela reste encore très inégal selon les secteurs d'activité. Ces organisations en réseau impulsent de fait un changement dans notre façon de travailler, de nous comporter. Ici la culture d'entreprise prend tout son sens pour partager une éthique, des valeurs, des attitudes communes en tenant compte de la diversité des personnalités.

En référence à l'ouvrage de Laurent SAUSSEREAU et Franck STEPLER *« Regards croisés sur le management du savoir »*, commençons par un peu d'histoire :

Ce concept d'université né dans les années 20 aux États-Unis, se crée dans les grandes firmes comme Général Motors puis en 1961 avec Mac Donald SA « Hamburger University ». Dans les années 80, des formations se développent pour vérifier la résistance au stress des cadres comme le stages « Aventures », le saut à l'élastique… et les échecs qui s'ensuivent. C'est seulement, comme le rappelle Hubert LANDIER quand il y a une véritable recherche dans les entreprises pour repenser la formation et les compétences que celles-ci réfléchissent à la création d'universités d'entreprises. Une série de fusions ou de restructurations secouent le monde des entreprises, ainsi l'université d'entreprise peut se créer ou se maintenir en dehors des phénomènes de mode mais bien pour retrouver des valeurs, et redonner une culture d'entreprise…

Voyons maintenant à quoi peuvent servir ces universités d'entreprises :

« Préparer le futur, transformer les attitudes managériales pour construire l'avenir. »

En effet, comme nous l'avons déjà exprimé dans la première partie de cet ouvrage, il s'agit bien d'identifier les écarts entre les besoins et les ressources, de développer le portefeuille de compétences, d'optimiser et de mobiliser les ressources… « enfin de les rétribuer et de les retenir en fonction de leur criticité ».

Ces universités doivent préparer les managers et les collaborateurs à être porteurs de ces changements. Ces changements peuvent être d'ordre différent selon le contexte européen et mondial des marchés. En effet, pour faire face à la concurrence, il est indispensable de réagir rapidement, de s'adapter mais surtout d'innover au bon moment, d'adopter des stratégies en y intégrant les nouvelles technologies, de choisir les bons investissements.

165

Naturellement cela peut paraître idyllique, pourtant des applications réussies se déroulent encore de nos jours même si nous entendons parfois des personnalités évoquer le fait que nous nous situons dans un contexte économique défavorable en comparaison des « trente glorieuses ». Des hommes ou des femmes « porteurs du changement » désireux d'adaptation et d'innovation afin d'éviter d'être dépassés par le progrès se donnent les moyens en temps utile d'analyser leur situation et d'y remédier si nécessaire. Certes les événements mondiaux ont pu accélérer les processus de changement mais n'y a t'il pas eu un manque d'anticipation durant de longues années dans le monde des entreprises ? Prenons l'exemple d'entreprises susceptibles d'automatiser leur système de production, les investissements effectués dans ce domaine sont choisis avec intelligence, dans la concertation en laissant de l'autonomie à l'opérateur. Le responsable associant les membres de son équipe pour trouver des solutions et réduire les coûts pour obtenir des gains de productivité, cherche avant tout à éviter trop de turn over et veille surtout à fidéliser son personnel. Dans un article de la CFDT de juillet 2003, il est stipulé clairement qu'en matière de ressources humaines, il est fondamental de mettre fin aux « flux tendus ».

En effet le « flux tendu » a un sens pour limiter la conservation de stocks invendus en rapport avec des matériels devenant obsolètes par les progrès technologiques. Hélas aujourd'hui, nous constatons son aberration dans son application à la Gestion des Ressources Humaines.

La réduction des coûts demeure un objectif important mais elle ne doit pas aller à l'encontre du bon fonctionnement d'une institution ou d'une entreprise par manque de personnel.

Nombreux dysfonctionnements constatés dans l'entreprise sont dus en grande partie à l'excès de la réduction des coûts au détriment des besoins réels en personnel. « Créer du lien, favoriser le développement d'une culture commune, produire du sens » nous conduit à aller dans le même sens notamment quand il s'agit de renforcer une cohésion d'équipe ou de transmettre une culture maison. Dans le cadre des réorganisations, des fusions d'entreprises de cultures identitaires différentes, nous sommes sollicités pour mettre en place un comité d'orientation afin de faciliter la mobilité interne, l'intégration des personnels, l'amélioration de la cohésion des équipes pour provoquer un changement d'ordre culturel. Il semble absolument indispensable d'y impliquer les managers au plus haut niveau pour qu'un réel changement se produise y compris quand l'institution est sous tutelle de l'État. Des décisions sont prises à ce niveau-là et les implications seront à notre sens plus pertinentes vers les instances régionales ou départementales et donneront ainsi un sens réel aux actions menées sur le terrain. C'est aussi permettre à ces managers opérationnels de mieux comprendre les processus stratégiques et les choix qui en découlent. Ainsi eux-mêmes pourront être porteurs de sens pour leurs équipes. Des souvenirs nous reviennent de ces pratiques d'entreprise dans les années 80, nous avons eu l'occasion d'impulser certains changements avec des « initiatives marginalisées » par rapport à la structure organisationnelle. Cependant ces initiatives ont fait leur chemin avec des changements en terme d'habitudes, de comportement…

« L'université d'entreprise apparaît alors comme un outil privilégié pour dépasser tous les cramponnements à des cultures du passé ». Selon Hubert LANDIER, l'université d'entreprise semble être une opportunité de rompre avec le modèle taylorien fondé sur la hiérarchie stricte entre décideurs et exécutants et passer à une culture fondée sur l'initiative. Nous sommes solidaires de cette idée de rompre avec le modèle taylorien mais nous devons prendre des précautions afin d'éviter de commettre les mêmes erreurs, passer d'un management directif à un management participatif sans y avoir préparé les acteurs. Certes, nous sommes confrontés à développer notre capacité à réagir plus vite, à travailler avec une exigence de qualité plus importante, traiter une quantité croissante d'informations « avec une valeur ajoutée venant du fonctionnement synergique ». Dirigeants, formateurs, consultants, nous sommes bien conscients de la nécessité de redonner du temps à nos managers et autres collaborateurs, à se former afin de développer les capacités indispensables pour gérer la complexité de plus en plus grande. Pour les managers, apprendre à gérer l'incertain et le flou se prépare dans le temps. Nous éviterons de tomber dans le piège de créer des référentiels de compétences modélisés. Ils ont leur utilité pour donner des idées et développer des thématiques de formation nécessaires à l'entreprise mais il nous semble plus convenable de commencer par identifier les besoins réels selon les catégories d'acteurs à partir de référentiels métier en tenant

compte des évolutions qui se sont produites et en y intégrant les nouvelles compétences à développer.

Ces documents peuvent être rapprochés de la fiche fonction de la personne en tenant compte de sa formation initiale, de son parcours professionnel et de ses expériences personnelles. Les entreprises voulant innover doivent maintenant prendre le temps de réfléchir et de choisir le bon type d'investissement pour leur positionnement sur le marché. Combien de sociétés proposent des solutions clés en mains non adaptées. Avec l'engouement pour l'informatique, des prestataires conscients de nouveaux marchés porteurs, vendent des logiciels à des clients désireux d'innover sans se préoccuper de l'accompagnement obligatoire pour mettre en place une gestion des compétences. Il en est de même pour le partage des savoirs. Tout dirigeant adhérant à des groupes d'échange d'expériences s'informera auprès de ses pairs avant de se lancer dans ces grandes aventures. Mais cela peut être le cas de petites et moyennes entreprises portées par l'ère des nouvelles technologies avec l'envie d'innover, d'anticiper sur ses ressources et l'évolution de ses métiers, de se faire piéger, oubliant parfois que l'informatique n'est qu'un outil au service de l'être humain. Cet outil doit correspondre à la réalité des entreprises et des besoins réels, d'où la nécessité de les adapter en tenant compte du contexte de l'entreprise. Nous voyons bien ici la nécessité d'un rapprochement « Entreprises » et « repères théoriques ». Ainsi nous pourrons nous reporter au référentiel de compétences existant, utile en tant que repère général, et qui devra être développé pour rester dans la course sans négliger pour autant l'identification des métiers et l'analyse des postes tenus par les salariés. De notre point de vue, nous recommandons la vigilance à utiliser des modèles pré-construits et les diffuser à toute l'entreprise.

Prenons la compétence « Apprendre à apprendre », adopter une attitude d'apprentissage liée aux nouvelles technologies, apprendre seul ou en virtuel pour acquérir une certaine autonomie dans sa façon d'apprendre... Des modes d'apprentissage peuvent être mis en place par l'institution avec des postes de travail prévus à cet effet. Le développement de la formation de formateurs nécessitera de faire un état des lieux afin de déterminer les réels besoins. Des unités sont déjà très avancées sur le sujet : tutorat, accompagnement...

« Gérer la complexité » : Comme nous le savons à travers nos différents constats, les dirigeants sont amenés à gérer des marchés élargis avec l'Europe et la mondialisation dans une grande incertitude sur le plan économique. Ils doivent également modifier leur structure pour avoir un meilleur impact auprès de leurs clients... De surcroît, une clientèle contrariée par la menace de chômage et par voie de conséquence devant réduire ses dépenses induit une baisse des résultats des entreprises. Le passage d'une situation économique stable et saine à une économie en récession ou en manque de croissance lié à des facteurs conjoncturels de moindre consommation est l'objet d'une gestion complexe quotidienne pour trouver les meilleures voies de relance. Le dirigeant d'aujourd'hui doit être capable de trouver des solutions innovantes, faute de quoi une petite entreprise peut être obligée de mettre la clé sous la porte. C'est un travail de veille et d'analyse permanente qui incitera ses dirigeants à rompre avec leurs habitudes, à prendre de la distance par rapport à ce qu'ils font.

Développer une capacité de « pédagogue, de transmetteur de savoir » nous semble capital pour l'encadrement intermédiaire mais la prudence s'impose également pour éviter de reproduire des programmes de formation trop lourds à mettre en œuvre.

« Gérer et anticiper le changement » : En effet cette compétence découle de ce que nous venons d'énoncer. Cette capacité à gérer les changements, à les anticiper, et à créer le changement devient une compétence forte à diffuser à l'ensemble des collaborateurs.

« Communiquer et collaborer », travailler seul est assez éloigné de notre conception, cela est encore plus d'actualité de nos jours. Prenons l'exemple du chercheur, il peut avoir besoin d'isolement pour réaliser une recherche d'information ou d'analyse précise dans son domaine mais il aura besoin d'échanger avec ses pairs. Il en est de même pour les entreprises, chaque service a besoin de communiquer avec d'autres services pour recueillir les bonnes informations essentielles à son fonctionnement. Aucune entité ne peut travailler de manière cloisonnée.

Selon nos auteurs, cette capacité à travailler en groupe, en réseau avec les clients, les fournisseurs est la condition première de la flexibilité et de la réactivité. Cela correspond à notre point de vue mais encore faut-il savoir communiquer, écouter, partager, échanger et co-élaborer. Parfois nous pouvons rencontrer certains paradoxes, en particulier toutes les difficultés comportementales pour se mettre d'accord sur les règles de mise en œuvre par des moyens de communications modernes comme l'intranet, l'extranet pour les filiales ou partenaires des grands groupes et l'internet, système insuffisamment protégé pour être utilisé avec efficience. Nous pouvons dire combien il est toujours indispensable de faciliter et de promouvoir la communication. Trop d'institutions la néglige pour s'apercevoir trop tard des écueils produits par une absence ou une mauvaise communication. Dans l'avenir et grâce à l'introduction des nouvelles technologies, avant de lancer de nouveaux modes managériaux, il est essentiel de se préoccuper de l'état de la communication dans l'entreprise et de trouver les leviers de changement pour l'améliorer. Nous oublions encore trop fréquemment dans les travaux de groupe de mentionner l'importance de donner du temps pour se connaître, avant de parler métier et des problèmes rencontrés dans ses activités. Combien de fois avons-nous constaté des problèmes techniques irrésolus liés à des conflits sous-jacents, des rivalités de personnes.

« Être créatif et savoir résoudre des problèmes » : Nous considérons cette capacité d'innover, d'imaginer en permanence comme essentielle principalement dans un monde mouvant. Ces incertitudes étant encore plus prégnantes de nos jours, les entreprises doivent s'orienter vers le progrès social, technique, voire sociétal… Nombreux se souviennent de la démarche qualité totale à travers la mise en œuvre de cercles de qualité ou groupes de progrès, ces personnes volontaires ont envie d'imaginer en permanence de nouvelles solutions à un problème. Ces travaux les aident à sortir de leur cadre habituel et leur permettent de développer cette capacité de saisir la résolution d'un problème comme une opportunité pour aller plus loin.

Dans le cadre de cette démarche, nous parlons de révolution culturelle, d'apprendre à travailler en groupe, d'apprendre à communiquer. Poursuivre dans le même esprit, serait de donner les moyens aux jeunes de s'approprier les contenus et de les faire évoluer selon les besoins d'aujourd'hui afin d'être en capacité de travailler en réseau avec les nouvelles technologies de l'information et de la communication.

« Travailler virtuellement en réseau » : Certes, le monde des nouvelles technologies nous ouvre un espace temps différent.

En 1999, des dirigeants nous mettent en garde sur le sujet, notamment à savoir gérer notre stress face aux pannes, à l'accélération des virus… Mais aujourd'hui, nous ne pouvons plus envisager de travailler autrement. Du dirigeant en passant par les clients et les fournisseurs, nous sommes tous contraints d'utiliser les réseaux pour communiquer mais également pour travailler avec les autres. La distance géographique qui nous sépare importe peu de nos jours, nous pouvons communiquer avec le monde entier. Notre vision du monde devient donc différente pour certains d'entre nous et il peut être nécessaire de développer un apprentissage selon les générations pour mieux appréhender les contraintes de l'ordinateur et ainsi être en capacité de mieux travailler. Dans nos missions de consultant, nous avons une certaine habitude d'une maîtrise de la gestion du temps et d'une vision globale de l'environnement. Il doit en être de même pour des responsables appartenant à des métiers différents mais repérés comme acteurs potentiels pour intervenir dans des fonctions transverses, impliqués dans un projet initial et transversal porté par la direction technique.

« Développer une vision globale et transverse des affaires » : Dans la conduite de projets, les formations se poursuivent et semblent satisfaisantes. Cependant, dans le cadre de la conduite d'affaire, nous avons beaucoup à progresser, en particulier sur les marchés émergents. En référence à nos auteurs, il est question de multiculturalité : « comment faire des affaires en Chine, en Amérique du Sud » ?…Il s'agit bien de s'approprier les façons de se comporter en affaire avec des Chinois ou autres types de populations afin de créer des outils ou de transmettre des « savoirs réalistes » par rapport à la culture de ces pays.

Différents exemples nous viennent à l'esprit, notamment des ouvertures de marchés à l'Est, pour lesquels nous avons pris conscience de l'importance de bien maîtriser la culture de ces pays avant de passer des contrats. Voyons à travers l'exemple

171

qui suit, cet ancien officier supérieur immergé dans un pays comme le Maroc peut sembler évident aux yeux de tous. Or, comme il nous l'explique, il a fourni des efforts pour comprendre leur culture, s'ouvrir à leur religion, apprendre leur langue… enfin, d'être plongé dans cet univers global pour en retirer les enseignements et s'adapter à des situations diverses et complexes de management ; ces situations relèvent probablement davantage d'un commandement fondé sur l'obéissance et la discipline que sur le leadership.

« Savoir développer le leadership » : Certaines techniques peuvent s'apprendre mais cette capacité n'est-elle pas plus liée à la personnalité de la personne ? Passer d'une logique pyramidale à une logique de réseau avec des structures à plat ne nécessite pas obligatoirement un commandement fondé sur des valeurs comme l'exemplarité, « inspirer et animer les collaborateurs ». En effet, ces fondements restent insuffisants mais il nous semble qu'ils ont eu un impact et l'ont toujours pour préparer le terrain. Cependant, avoir la capacité de porter une vision stratégique, de savoir communiquer, de permettre à chacun de se réapproprier son pouvoir à son niveau est complexe et ne peut à notre sens se faire du jour au lendemain. Agir sur le long terme est prioritaire, et certains dirigeants le comprenne parfaitement.

Comme nous l'évoquons au début de la deuxième partie de cet ouvrage en référence à Vincent LENHARDT, le manager de demain devra être en capacité de donner du sens à son action, de transmettre son savoir. En effet, l'introduction des nouvelles technologies modifie l'accès au savoir. Des exemples sont largement commentés dans la première partie de ce livre. « Aider chacun à accéder à une forme de sagesse, c'est-à-dire à une acceptation pleine et entière des paradoxes qu'il rencontre » nous paraît être un argument majeur complémentaire aux capacités à développer pour ces futurs managers. Selon L. SAUSSEREAU et F. STEPLER, le développement du leadership semble devenir un impératif qui conduit l'entreprise à se focaliser sur le recrutement et le développement de talents qui feront évoluer l'entreprise vers le XXIe siècle et qui feront sa compétitivité dans les années à venir. Nous observons bien depuis l'année 2000 un retour important vers des formations

managériales en particulier concernant l'efficacité personnelle…

Nous pensons qu'il est indispensable que ces formations inté-
grées dans la stratégie de l'entreprise s'inscrivent dans la durée
pour que cela prenne un véritable sens partagé par les managers et l'ensemble des salariés. Ainsi nous pourrons parler d'une
véritable culture d'entreprise. Néanmoins, toutes ces compétences génériques nous renvoient vers les stratégies individuelles
oû il semble essentiel de savoir dans la trajectoire de chacun,
ses motivations, son parcours professionnel et personnel, ses
apprentissages, ses aspirations…

Modifier notre perception des autres passe par un cheminement
mental intégrant notre capacité à remettre en cause nos valeurs
propres, nos habitudes de pensées, notre façon de voir le
monde. Cette capacité, combien complexe à développer, nécessite de bien se connaître, avoir une grande volonté et une certaine ténacité pour ne pas retomber dans les schémas habituels.
Récemment, à travers des formations en management, en particulier pour apprendre à mieux se connaître, à améliorer son
fonctionnement et sa façon de travailler avec son équipe, nous
prenons conscience de la difficulté à évoluer vers un management transversal concernant les questions opérationnelles les
plus banales à résoudre. Nous observons bien dans les travaux
en sous-groupe, les réticences pour certains stagiaires à remettre en cause leurs habitudes, leurs acquis, y compris pour des
services fonctionnels comme l'informatique.

Ces derniers sont sensés avoir plus d'aisance pour travailler en
équipe, mais chacun a son propre cadre de référence, et les
changements sont toujours pour les autres… « Prendre de la distance par rapport aux problèmes rencontrés », nous confient
certains stagiaires, semble évident. Ils constatent la difficulté de
partager et faire partager leur point de vue à autrui, en l'occurrence aux membres de leur équipe. Ces managers ont tendance
à dire « avec lui il y a toujours un problème », « il n'a jamais assez
d'informations… il en veut toujours plus », « il est comme ça
avec tout le monde… d'ailleurs, personne ne veut travailler avec
lui »…

Derrière ces propos, nous constatons que pour une grande majorité d'individus « être capable de faire face à des personnalités

173

aussi diverses » nécessite des qualités intrinsèques pour avoir une « certaine sagesse » au regard de nos auteurs. Au-delà d'avoir une certaine philosophie de la vie pour dépasser les contradictions quotidiennes, c'est être en accord avec soi dans le sens aussi d'éviter de se trouver dans le triangle dramatique de Steve KARPMAN « victime, persécuteur, sauveur ». Partir du principe que nous sommes tous à un endroit de l'entreprise pour travailler ensemble, aller vers les mêmes objectifs en évitant les rivalités de pouvoir, relève peut-être de l'exception ! Cependant, au cours de ces formations, les individus motivés et volontaires formulent leur désir de fonctionner autrement, de lutter contre la pression quotidienne car d'eux-mêmes ils s'aperçoivent du temps perdu à ensuite régler des conflits...

Très souvent, à l'issue de ce type de formations, des stagiaires ont envie de poursuivre ces apprentissages à titre individuel. Ils nous demandent si nous pouvons les accompagner individuellement dans leur pratique managériale. Il est fréquent de nos jours, toutes générations confondues, accentuées pour les 30/35 ans de vouloir prendre en main sa carrière. Ils sont très conscients de ne pas pouvoir faire le même métier pendant toute leur vie. Dans la mesure où les formations collectives n'apportent pas toujours les résultats escomptés à l'entreprise, cela permet à un grand nombre d'entre eux d'identifier leurs besoins propres mais également leurs limites et ainsi veiller à rester performant dans leur travail. Le chômage étant passé par là, si ce n'est pour eux, dans leur entourage, certains sont donc amenés à faire des choix différents par rapport à leurs projets antérieurs...

« Savoir gérer sa propre carrière » : La gestion de sa carrière à travers les nouvelles technologies semble encore délicate et difficile à mettre en œuvre en France au regard des États-Unis. Mais les mentalités sont en train d'évoluer et les grandes entreprises donneront peut-être l'exemple pour permettre à l'individu d'être dans un univers sécurisé et au-delà de la formation en ligne (« e-learning ») déjà bien utilisée pour les langues, de gérer lui-même sa carrière avec des évaluations en ligne... Le monde virtuel peut encore impressionner certaines populations mais construisons sur les avancées existantes. Continuons avec les stratégies des « petits pas » pour progresser tout au long de notre vie professionnelle et personnelle.

En résumé les capacités à développer chez les managers de demain sont avant tout être capable de surmonter les chocs émotionnels mais également organisationnels. Rappelons le phénomène de résilience adaptée à un contexte d'entreprise, selon Boris CYRULNIK. La manière dont nous nous sommes construits au cours de notre enfance fait partie de notre fonctionnement et il est important de comprendre surtout comment nous sommes capables de surmonter les obstacles de guerre, de mort, de ruptures familiales, sociales, économiques...

Les idées clés

- Voir naître l'université d'entreprise pour pérenniser la formation managériale, mieux gérer la complexité et anticiper sur l'avenir.
- Créer un référentiel de compétences en tenant compte des capacités réelles de l'entreprise et de ses ressources.

CHAPITRE 2 ## Les conditions de réussite pour évoluer vers un management par les compétences

La création de l'université d'entreprise et son rôle

Comme nous l'évoquons précédemment, à défaut de réponses à la complexité du monde de l'entreprise, l'université d'entreprise est en émergence. Elle peut en effet jouer un rôle complémentaire aux directions ressources humaines et formation. Des exemples existent dans le secteur bancaire notamment, où après des restructurations ou des fusions, la direction des ressources humaines et la formation définissent conjointement le rôle que pourra jouer l'université. La direction générale s'implique fortement en passant des messages aux managers chargés de faire circuler la bonne information à leurs équipes. Naturellement, chacun sait que les démarrages sont souvent délicats mais tous ont la volonté de parvenir à ne créer qu'une seule identité au sein du groupe. La clarification des objectifs qui se dessinent au fil de l'eau avec le concours de la direction générale permet à chacun de mieux comprendre la stratégie mise en place et ainsi de développer de nouveaux talents.

Nous soulignons peut être avec insistance la nécessité de pérenniser la formation managériale, pour mieux gérer la complexité au quotidien, mais également faire évoluer les pratiques. Dans les années 70, le monde industriel s'empare de ces formations pour ses cadres telles que « l'art de commander, l'art de communiquer »...

Ces mouvements vers les relations humaines ont pour objectifs de gagner en compétitivité, en parts de marchés, mais également d'améliorer les comportements et de faire évoluer le management, thématique toujours d'actualité aujourd'hui. Dans les grands groupes, des écoles pour les cadres existent dans les années 70, en particulier pour diffuser les formations techniques et également un cycle de mois de formations pour les jeunes ingénieurs. À partir des années 80, nous commençons à y impliquer des membres de direction afin de faire passer de nouveaux messages sur la politique de l'entreprise et le rôle que la formation sera amenée à jouer.

Le relais pris aujourd'hui par les universités nous semble essentiel pour professionnaliser ces managers dans la durée, afin d'éviter les dérives du management, de dispenser une culture transverse au groupe afin de mieux préparer ces transformations managériales, d'évolution vers un management de projets.

Naturellement, il est important que les directions des ressources humaines, de formations soient impliquées dès le début du processus. Ce sont eux qui gardent les contacts avec leurs clients internes, en terme de besoins de formations, étant proches du terrain. Ils ont ainsi le privilège de pouvoir vérifier l'adéquation entre la stratégie définie au niveau supérieur et les besoins en formations, élargis à la stratégie de groupe par le biais de l'université d'entreprise.

Selon Laurent SAUSSEREAU et Franck STEPLER, penser l'université d'entreprise comme lieu d'apprentissage, de partage des connaissances et d'accompagnement des changements sont des missions très ambitieuses mais fort utiles dans le contexte actuel. Cependant les moyens mis en œuvre pour accompagner les changements doivent être clairement identifiés sans oublier le rôle des différents acteurs de l'entreprise. Dirigeants au niveau le plus élevé, ressources humaines et formation, nous ne pouvons plus nous contenter de mettre en place des formations comme « connaissance de l'entreprise » ou développer des outils de « partage des connaissances » ou des cycles « intégration des nouveaux arrivants » sans développer les compétences clés nécessaires à son évolution et surtout aux évolutions stratégiques du groupe dans un contexte international. Il est nécessaire de permettre à chacun, personnel cadre et non cadre, de pouvoir s'identifier à une culture d'entreprise, de partager une vision pour être à même de s'orienter vers le futur, d'améliorer la cohésion d'équipe en créant une synergie entre les différents pôles métiers, filiales...

Nous savons bien que les changements ne s'imposent pas, ni par décret, ni dans les rapports de force. Pour permettre à chacun d'adhérer à un projet, l'université bien pensée et inscrite dans un plan à long terme nous semble tout à fait pouvoir favoriser ces échanges d'expériences et de pratiques, destinée à apporter des solutions innovantes en matière d'ingénierie pédagogique. Dans cette perspective, elle permettra à l'ensemble des équipes de s'épanouir sur le plan personnel mais également de tenir compte des évolutions de son époque et savoir les accompagner.

Ces universités peuvent être considérées comme une des conditions pour évoluer vers un management par les compétences, sans tomber dans des phénomènes de modes, en pérennisant ces évolutions managériales associant les formations collectives à l'accompagnement individuel sur le long terme.

> **Les idées clés**
>
> - Faire évoluer l'entreprise en prenant en considération la vitesse d'intégration du changement et la profondeur des changements.
> - Dépasser ses croyances pour aller dans le sens de valeurs partagées et créer une véritable culture d'entreprise.
> - Développer l'ingénierie pédagogique pour faciliter les évolutions sur le plan humain et accompagner les évolutions de son époque ; augmenter l'innovation pédagogique.
> - Construire collectivement et individuellement à travers les échanges de pratiques et la réalité quotidienne de l'entreprise.
> - Compléter les formations managériales et en particulier comportementales par un accompagnement individuel.

2.1. Le comportement du manager : ses relations intrapersonnelles et interpersonnelles

Le changement managérial doit inévitablement passer par une évolution des mentalités. L'histoire nous montre combien les valeurs partagées au cœur de ses origines sociales ou empruntées à d'autres dès l'enfance peuvent avoir une incidence sur notre parcours de vie personnelle et professionnelle.

Il n'y a pas de modèle de comportement, mais cet exemple peut nous servir de base de réflexion pour identifier ce qu'il est indispensable de connaître pour évoluer dans nos structures organisationnelles aujourd'hui, et ce qui relève de l'homme, de sa personnalité, de ses apprentissages, des choix à faire et des décisions à prendre. Bien se connaître pour mieux connaître les autres, identifier ses capacités propres et ses limites peuvent nous aider à mieux travailler ensemble dans un univers de plus grande complexité avec une instabilité constante dans de nombreux domaines.

> **Idées clés**
>
> - L'exemplarité, base de réflexion pour trouver sa voie, construire avec les autres.
> - Avoir de l'ambition, avoir envie de développer une qualité de travail dans le respect d'autrui.
> - Savoir faire partager ses idées avec modestie.
> - Avoir une certaine ouverture d'esprit dans le sens comprendre et s'adapter à d'autres cultures.
> - Gérer la complexité avec intelligence dans le sens de l'écoute, trouver des solutions innovantes selon les situations.

2.2. Définir les différentes formes de management

En référence à cet officier supérieur, nous venons de voir combien après plusieurs années d'indépendance et d'initiative, l'adaptation semble difficile lorsque ce manager s'en trouve privé dans un organisme de commandement centralisé et très structuré. Cela peut nous éclairer sur la notion de Vincent LENHARDT à savoir, être vigilant par rapport à des managers à « haut potentiel » ou « ayant tenu de hautes fonctions d'encadrement » à repérer certaines formes de narcissisme ou d'égocentrisme qui pourraient nuire à l'évolution d'un management intégrateur. Le fait même d'avoir un sentiment de frustration dans un nouveau poste où ils manqueraient de pouvoir pourrait générer au fil de l'eau un climat de tension ou tout simplement créer un malaise au sein de l'équipe.

Rappelons maintenant comment se définissent les quatre types de management :

Le **modèle paternaliste** appelé aussi « patriarcal » révèle un personnage central de l'entreprise ; les décisions sont centralisées au niveau supérieur et les chefs tendent à reproduire ce modèle d'autorité. Les relations chefs-subordonnés sont très affectives : admiration, respect, identification au chef ou au contraire, crainte, rejet, contre-dépendance.

Nous avons souvent rencontré ce type de fonctionnement dans des grandes entreprises très marquées par la personnalité de leur manager comme Marcel Dassault, Édouard Michelin…

Le **modèle bureaucratique** est une forme de management fortement développée dans les administrations, grandes entreprises publiques et semi-publiques. Le pouvoir du chef consiste à veiller à ce que les règles soient appliquées, celles-ci sont écrites et les relations entre chefs-subordonnés sont délimitées par ces règles. La prise de décision est réservée aux niveaux hiérarchiques supérieurs pour résoudre des situations exceptionnelles mais l'écrit domine.

À titre d'exemple, un courrier ne pourra être envoyé à son destinataire qu'après validation et signature des supérieurs. La décision prise au niveau supérieur passera par les différents bureaux chargés d'agir chacun à son niveau de responsabilité ; ainsi, en cas de litige, le subordonné est en mesure de faire valoir comment le responsable d'un service a réalisé la tâche qui lui incombe.

Peu à peu ce type de management tend à disparaître à cause de la lourdeur administrative mais ce type de processus existe encore dans des grandes structures.

Le **modèle technocratique** peut s'apparenter au type coopératif ou participatif car les décisions d'exécution sont laissées aux subalternes, ce qui pourrait laisser penser que le pouvoir est partagé entre chefs et subordonnés les décisions importantes relèvent de groupes d'experts placés au plus haut niveau. Ici, la compétence est le critère du pouvoir. Les activités professionnelles doivent être rationnelles, il s'agit de quantifier la vie de l'entreprise ; c'est l'utilisation de l'informatique avec des méthodes modernes de gestion mais ce sont avant tout des experts qui dominent. Ce fonctionnement en mode technocratique s'est amplifié dans les années 90 après la volonté de certains dirigeants de développer la participation, sans en connaître les effets dans leur façon de manager, nous observons à ce moment au moins deux types de manager se profiler :

1/ Ceux capables de relever le défi en gérant les situations au quotidien avec distance prenant conscience qu'ils n'ont pas de multi-compétences ; ils s'entourent donc de responsables sur qui ils s'appuieront. En conclusion, ils maintiennent leur façon de travailler en mode participatif ou en alternant avec les autres modes selon les besoins du moment.

2/ Ceux promus récemment manager qui se sentent menacés dans leurs compétences prenant conscience de l'évolution des métiers, ils ne voient pas l'intérêt immédiat de progresser vers le « participatif ». C'est donc un retour vers des formes technocratiques, renforcées par l'accélération de l'informatique et des systèmes de contrôle mis en œuvre par des experts. Parfois ces derniers, indispensables au sein d'une structure, peuvent être utilisés de manière plus ou moins ambiguë par une direction générale pour rendre compte de la mauvaise maîtrise des coûts. Nous revenons donc à une centralisation du pouvoir qui peu à peu a des effets négatifs sur le management connus dans les années 95 par une vague de licenciements pas toujours justifiés.

Enfin le monde bouge sur le plan international, l'introduction des nouvelles technologies s'accélère avec l'évolution des métiers dans toutes ses composantes, il réapparaît donc la nécessité d'agir sur le long terme. La loi de modernisation sociale de l'année 2000 réintroduit bien le management par les compétences dans ses orientations en y intégrant la validation des acquis expérientiels. Ces actions vont bien dans le sens d'augmenter les qualifications, accompagnées par une reconnaissance sociale, de changer notre façon de travailler et par voie de conséquence, remettre en cause nos mentalité ancestrales en terme de rapport au pouvoir et au savoir.

Soulignons enfin, le **modèle coopératif** ou participatif dont le pouvoir est plus équitablement partagé. Les activités « réunions de groupe » sont plus nombreuses. Les relations s'établissent non seulement verticalement entre chefs et subordonnés, mais aussi horizontalement entre personnes de même niveau.

Repérons maintenant dans les différents fonctionnements de l'entreprise, en particulier pour le management participatif dans une démarche qualité comment le pouvoir s'exerce. Nous souhaitons montrer que l'amélioration de la productivité, de la communication, de l'expression implique une modification du comportement au travail des différents acteurs. D'autre part, il semble important de tendre vers d'autres formes de management qui permettent aux différents acteurs plus d'implication, plus d'innovation, plus de performances. Le management participatif dans une démarche cercle de qualité peut être une voie privilégiée vers ce changement. À travers une étude théorique sur ce sujet, des enquêtes dans deux grandes entreprises industrielles et une analyse des résultats, il ressort trois points clés : le cercle de qualité permet au salarié de s'exprimer sur son travail ; de cette expression découle une amélioration de la communication entre l'encadrement et la base ; enfin, les individus ont le sentiment de participer à la vie de leur entreprise. Par ces améliorations, les dirigeants découvrent la capacité de réflexion de leurs collaborateurs. Néanmoins, le management participatif reste limité et fragile, il se heurte à des freins tels que les relations de pouvoir ou les croyances. Ainsi l'évolution probable est plutôt dans l'apparition de noyaux participatifs en fonction de facteurs favorables liés à la personnalité d'un cadre ou à son niveau d'expertise.

Dans le cadre de ce travail de recherche-action, notre perception sur la personnalité du cadre joue un rôle capital. En effet, le développement du management participatif favorisant une remise en cause des habitudes, en particulier par un travail personnel à réaliser sur soi peut s'avérer indispensable pour certains individus dont la capacité managériale existe mais doit être améliorée. Pour faire face à des personnalités plus rebelles ou être en capacité de gérer un conflit au sein d'une équipe, le futur manager devra être accompagné pendant une période donnée afin de mieux gérer ses angoisses. Son manque de maîtrise peut induire un comportement de fuite, il laissera alors agir d'autres personnes à sa place et cela risque de lui porter préjudice. Savoir identifier ce qui relève de sa responsabilité est essentiel. Il ne suffit pas de fonctionner en mode participatif et laisser toute initiative aux individus. Chacun a besoin d'un cadre de référence, de connaître son rôle mais également ses limites. Bien souvent, c'est à ce niveau de définition des rôles que nous rencontrons les premières difficultés, d'où la nécessité de clarifier sa fonction de manière explicite sur une fiche à savoir « qui fait quoi ? ». En cas de litige, elle sera très utile pour éclaircir une position ou redéfinir la responsabilité de chacun. Naturellement, consulter cette fiche à chaque action ne ferait qu'indiquer un mauvais climat social ou un problème de confiance au sein de l'équipe. Nous utilisons ce type de procédé au moment où il y a conflit et par expérience, cela reste bénéfique pour tous. Ainsi, nous pourrons éviter tout jugement de valeur et poursuivre les actions prévues dans le cadre de relations professionnelles acceptables. Il s'agit de la tâche ou de l'activité décrite précisément et en aucun cas de la personne. C'est à cette seule condition que nous passerons de la méfiance à la confiance. L'histoire des entreprises dans lesquelles nous sommes intervenus nous montre la nécessité de remettre à l'ordre du jour la formation au management sous des formes diverses : formations collectives et individuelles en utilisant la technique du coaching. Cet accompagnement individuel s'est déjà pratiqué dans la période 1970-1980. Aujourd'hui, après les écueils en management des années 1995-2000, en particulier après les pressions sur l'encadrement et les dérives existantes du management explicitées précédemment, il semble que les directions générales, ressources humaines et formation prennent conscience de la nécessité de revaloriser la fonction managériale. Entre l'absence de management, la pression ou le harcèlement moral connus des entreprises aujourd'hui, il devient nécessaire de retrouver un équilibre. Certes la valeur du travail a changé principalement pour des raisons de progrès techniques mais le contexte économique aussi.

Ces phénomènes cycliques sont connus de l'histoire comme dans les années 20 avec la révolution post-industrielle, pour faire carrière, certains individus s'expatrient dans l'espoir de faire fortune. La différence aujourd'hui est probablement le manque de perspective dans un monde international bouleversé et bousculé de tous côtés.

Néanmoins dans son discours du 14 juillet 2003, le Président de la République a dit quelques mots sur le temps de travail et le temps de loisirs. Nous partageons cette conviction, il convient bien d'avoir du travail et ainsi une rémunération pour pouvoir profiter des loisirs. Le chômage a des conséquences néfastes sur l'économie nationale, européenne, mondiale, avec un impact immédiat sur la consommation avec des ménages privés d'emploi et par voie de conséquence de loisirs. D'autres individus n'ont même pas les besoins fondamentaux pour vivre en référence à la pyramide de Maslow : Avoir un toit, pouvoir manger…

Face à la complexité rare d'un monde en pleine mutation, soulignons en quoi consiste l'intelligence. Pourquoi il semble utile d'en tenir compte dans nos conduites managériales ?

Dans les ouvrages anglo-saxons, il est fréquent aujourd'hui de parler **d'intelligence émotionnelle**. Mais comment la repérer et comment s'en servir ? L. SAUSSEREAU et F. STEPLER définissent les différentes formes d'intelligence de la façon suivante :

« *L'intelligence émotionnelle est la capacité à interagir sainement avec son environnement* ». Dans notre pratique et grâce à nos missions de formations ou d'accompagnement de groupe par rapport à un projet, nous tentons de la mettre en œuvre en coopérant, en essayant d'initier un groupe à apprendre des autres, en simulant une mise en situation à partir d'une étude de cas afin de sortir ce groupe de travail de son cadre de référence habituel. Il est ainsi passionnant d'observer la différence dans les groupes, ceux utilisant plus leur « *intelligence créative dont la capacité est de donner des réponses et des solutions nouvelles* » et « *ceux qui sont capables de s'adapter sans réponse prédéterminée, c'est la souplesse, l'adaptation de la personne, l'intelligence de situation* ». À travers notre expérience, nous pouvons dire que l'écoute, l'attention, l'altruisme sont des qualités intrinsèques indispensables associées à une capacité à rebondir, à surmonter des obstacles. Ces différentes formes d'entraînement contribuent au développement de ce type d'intelligence, composante majeure dans un monde qui traverse une série de ruptures technologiques, économiques, politiques, ou sociales.

Face à ce monde qui change, ceux qui ont cette capacité naturelle à accepter les paradoxes notamment entre court terme et long terme, individualisme et collectif, profit et gratuité, sont rares.

Il nous semble que l'effort doit être mis sur cette forme d'intelligence afin de sortir de cette crise économique cyclique, éviter les conflits dommageables pour les entreprises mais également pour la société toute entière engendrant la violence, le manque de respect de certaines générations mal ou peu éduquées.

Dans notre façon de manager ou de transmettre du savoir, nous essayons toujours de construire le futur en nous inspirant du passé et surtout en tirant des enseignements de ce qui a marché ou n'a pas marché. Cette alchimie de « lier tradition et modernité » est nous semble-t-il à promouvoir.

Nous l'avons évoqué dans les premières pages de cet ouvrage, l'organisation apprenante est source de création de valeur pour l'entreprise. Ce type d'organisation est surtout présent dans les grands groupes mais à travers les branches professionnelles, les petites et moyennes entreprises pourraient en bénéficier, y compris dans le cadre des universités d'entreprises…

Les petites et moyennes entreprises ne doivent en aucun cas être laissées pour compte, et les grandes doivent les aider à s'adapter, évoluer et innover dans leurs systèmes d'organisation.

À l'ère de ces universités d'entreprises, il est bon d'acquérir de nouveaux réflexes d'apprentissage compte tenu de la masse d'informations accessibles rapidement en terme de savoirs.

Dans les formations comportementales dans lesquelles une partie sur la gestion du temps est abordée, nous voyons bien la complexité pour certaines personnes à adopter de nouvelles modalités de fonctionnement, comme apprendre à trier, sélectionner la bonne information au juste temps par rapport aux objectifs.

Créer des espaces au sein d'une université pour se mettre en situation, s'entraîner à vivre des situations de management avec des simulations en ligne peuvent aider ces managers à se professionnaliser et mieux appréhender le type de management à utiliser selon les projets à gérer.

En conclusion, il n'y a pas un seul modèle de management. Tout manager peut être confronté à travailler dans des modes différents selon la stratégie, les objectifs prioritaires, les décisions à prendre et le temps à y consacrer en fonction des contraintes environnementales.

Il peut être utile de trouver des points de convergence entre l'école avec la formation initiale, l'université d'entreprise avec la définition des valeurs, de la culture d'entreprise d'où un rapprochement des ces institutions avec l'entreprise. Celle-ci devant s'ouvrir à cette vision globale des affaires en sachant rendre ses acteurs responsables et développer l'autonomie pour mieux gérer les contraintes et les perspectives d'évolution dans une dimension internationale.

C'est pourquoi, nous aborderons dans le prochain chapitre l'évolution du management hiérarchique vers un management de projets dans la sidérurgie des années 80, à travers quelques passages commentés du récit de cet ancien chef du personnel.

Les idées clés

- Savoir utiliser les différentes formes de management.
- Savoir utiliser les différentes formes d'intelligence.

CHAPITRE 3 **Pratiques d'entreprises : démarches collectives ou individuelles**

3.1. Les limites à l'évolution du management : les freins organisationnels et la résistance des acteurs

Nous avons pu identifier que le management participatif favorise les évolutions comportementales en terme de prise d'initiative, de capacité d'autonomie, de réflexe à travailler ensemble. Aujourd'hui, nous pouvons dire que pour l'ensemble des secteurs d'activité ces principes semblent acquis. Pour aller plus loin dans la démarche, d'autres évolutions complémentaires doivent se réaliser notamment le management des connaissances connu sous le terme anglo-saxon de « knowledge management ».

Des contraintes apparaissent avec la taille des groupes et la complexité des affaires à traiter dans le cadre de la mondialisation. Dans les groupes internationaux, identifier les experts d'un domaine et les autres détenteurs d'un savoir passe essentiellement de notre point de vue, par la traçabilité des parcours individuels. C'est un travail de longue haleine et peu d'organisations œuvrent sur ce terrain. Les entreprises dotées de ces moyens sont rares, si elles existent, ce sont celles dont le climat social s'y prête, ou il n'y a plus de restructuration en cours…

De plus, l'évolution de l'entreprise et les enjeux externes contraignent celle-ci à être plus performante que par le passé, dans le sens de la performance économique et sociale. De nos jours, mutualiser les compétences en passant par la capitalisation des savoirs mais également des expériences, devient une condition incontournable pour l'entreprise de demain. Recommencer un travail expérimenté antérieurement sans tenir compte d'un retour d'expérience avec succès ou échec, coûte cher à l'entreprise. Dans les grandes entreprises, nous avons souvent constaté des actions répétées à l'échelle de la taille de l'entreprise, pour s'apercevoir quelques semaines plus tard que des opérations du même type se sont déjà produites.

Le manque de communication est toujours présent dans les entreprises et des actions répétées et multipliées plusieurs fois dans des grands groupes de dimension internationale avec des entités éclatées sur le plan national, ont une incidence forte sur les coûts. Comme nous l'avons souligné dans les chapitres précédents, les managers doivent développer une capacité de réaction plus grande, d'anticipation, de vision globale, de gestion de la complexité en tenant compte des erreurs du passé afin de limiter les coûts.

Naturellement, c'est aussi gérer les paradoxes, en particulier « long terme » et « court terme ». À titre d'exemple, il peut être nécessaire de réagir vite par rapport à la concurrence pour la création d'un nouveau produit, en revanche, développer le partage des connaissances nécessite un travail sur le long terme. Ces deux objectifs ne sont pas incompatibles mais selon la situation de l'entreprise et des ressources à disposition, des priorités devront être définies pour mener à bien ces deux projets.

Par conséquent, il nous semble que les dirigeants désireux de mettre en œuvre ces outils, doivent afficher clairement les bénéfices de ce type d'action afin de donner vie à un projet et envie aux collaborateurs d'y participer, à travers les réseaux. Développer les compétences, le savoir-faire avec des forums de discussion thématiques, des documents formalisés en terme de retour d'expériences et accompagner les apprentissages peuvent faciliter la mise en œuvre, même si cela demeure complexe.

Entre dirigeants et experts, des groupes d'échanges peuvent exister afin d'accélérer la prise de décision, d'anticiper certains risques…

Dans une enquête menée par un cabinet international de recrutement pour les cadres dirigeants de juin 2003, il semble bien que leurs priorités soient : communiquer clairement et faire comprendre les décisions. Les N.T.I.C. peuvent répondre à ses objectifs. La motivation première reste bien le développement d'une entreprise et des hommes d'où un enjeu majeur de vaincre les résistances en opérant les changements délicats dans les six mois de la prise de fonction, telles que :

– éliminer les blocages, « briser les chapelles » et inciter au travail en équipe,

– impulser le changement et vaincre l'inertie pour 69 % des dirigeants,

– constituer son comité exécutif dès le premier trimestre respectant la culture d'un historique de l'entreprise. Le courage et la réactivité sont des qualités demandées pour affronter la résistance au changement.

Si favoriser la croissance interne est le principal objectif de leur mission, pour 94 % des dirigeants la plus forte motivation consiste à développer une entreprise, l'attrait du pouvoir n'en représente que 30 %, ce qui devrait aider à une progression plus ou moins rapide vers un management par les compétences. Ces orientations seraient envisagées dans un souci de partager des connaissances, de développer des projets transversaux et de travailler le plus souvent possible en réseau.

Dans la constitution de leur comité exécutif, il semble bien que le directeur financier et les ressources humaines apparaissent comme les clés de voûte de ce dispositif. Ainsi, la place dédiée aux directions des ressources humaines doit devenir une opportunité pour définir les changements et trouver les leviers adaptés aux besoins de ces entreprises transportées vers des horizons attractifs et dynamiques pour les générations à venir.

Cet essai méthodologique fondé sur des réflexions à partir d'analyses de situations et d'expériences d'entreprises tiennent compte de succès ou d'échecs de mise en œuvre de management en continu souvent lié à des phénomènes de mode mais également à un manque d'approche systémique. En effet, nous constatons le développement d'outils sans lien avec le management développé ou encore la stratégie s'y rapportant.

CHAPITRE 4 **Méthodologie pour évoluer d'un management hiérarchique vers un management par les compétences**

4.1. Les outils et les méthodes

Il nous semble essentiel de nous appuyer sur la réalité de l'entreprise comprenant son positionnement sur le marché, son organisation, ses acteurs et leurs aspirations professionnelles, ses moyens financiers pour développer les outils en adéquation avec la stratégie, afin de faire évoluer le management. En effet, le fait d'avoir une vision globale de son environnement économique, technique, organisationnel, social permettra de prendre les précautions d'usage pour faire adhérer les hommes et les femmes qui composent l'entreprise à participer chacun à son niveau de responsabilités, au développement d'une certaine « coopération ». La notion de pouvoir hiérarchique ici est moins présente pour privilégier « l'équipe ». Selon Richard SENNETT « *le travail en équipe ne reconnaît pas de différences ni de privilège ni de pouvoir* ». Avoir le sentiment d'appartenir à une communauté, c'est la formation de liens solides entre les personnes et cela suppose la reconnaissance de leurs différences au fil du temps alors qu'il existe des relations entre les individus au pouvoir inégal et aux intérêts divergents.

À travers les exemples précédents, nous voyons bien à quoi s'expose un « manager », en particulier les qualités personnelles et les nouvelles compétences exigées pour assumer cette fonction devenue complexe : d'une part, impactée par l'introduction des nouvelles technologies et l'évolution sur les métiers ; d'autre part, l'augmentation du niveau de qualification et les évolutions technologiques impulsant une autre façon de travailler en réseau. Ces conséquences ont pour effet direct de remettre en cause les habitudes managériales y compris au niveau supérieur. À ces évolutions s'ajoutent d'autres facteurs conjoncturels comme « l'employabilité », devenant complexes à gérer dans un contexte international. Prendre en considération le concept de « la formation tout au long de la vie » et tenter de promouvoir l'alternance entre le développement de stratégies ressources humaines, formation pour gérer « l'intelligence collective » et les stratégies individuelles nous semblerait convenable. En effet, la progression du chômage favorise peu les mobilités professionnelles. Il est donc indispensable de retrouver un juste équilibre entre les actions pouvant relever de l'État, ses instances régionales et départementales dans le cadre de la décentralisation, avec les moyens qui s'imposent, celles menées par les entreprises pour fidéliser leurs salariés, et ces derniers pour être des acteurs responsables de leur projet professionnel. En 1985, des dirigeants de grands groupes multinationaux posent déjà la question : « comment gérer les intelligences de demain » ? À ce moment il s'agit de prendre conscience de l'élévation de ce niveau culturel produit par les effets du management participatif dans les grandes entreprises, également des redéfinitions de profils de poste liés aux évolutions de métiers en intégrant l'informatique. La formation dispensée à cette période est importante et suivie d'effets positifs pour l'entreprise mais également pour les acteurs membres volontaires des « cercles de qualité » ou « groupes d'actions de progrès » pour les cadres. L'apprentissage de la méthode de résolution de problèmes est largement diffusé…

Dans le but de pérenniser la formation et de la traiter de manière plus large afin de répondre aux attentes de tous, l'université d'entreprise peut jouer un rôle majeur pour instaurer le changement sur le long terme et tisser des liens étroits avec les services ressources humaines et formation des entreprises, filiales et autres… Les missions de chaque entité clairement définies articulées autour de projets globaux en ressources humaines dans une démarche cohérente et de cohésion d'équipe devraient permettre l'évolution des mentalités.

Nous allons tenter ici quelques apports méthodologiques, testés dans des entreprises en attirant l'attention des dirigeants sur l'obligation de les adapter à leurs réalités.

« Comment développer et faire vivre un management par les compétences ? »

1/ Phase de diagnostic
- Faire un état des lieux de sa structure organisationnelle et du type de management exercé.

2/ Phase de réalisation
- Être prêt psychologiquement à passer d'une logique de poste à une logique de compétence :
- définir un référentiel de compétences à partir du référentiel métier propre à l'entreprise
- pratiquer une méthode d'évaluation et de gestion des compétences plus rigoureuse à travers l'entretien de performance avec des indicateurs de résultats
- comprendre et travailler dans la transversalité « projets transversaux », évoluer vers le travail en réseau avec les NTIC (nouvelles technologies de l'information et de la communication.)
- intégrer la gestion des compétences dans le projet global de l'entreprise
- constituer des équipes projets afin de faciliter la mise en œuvre à tous les niveaux de responsabilités, impliquer la hiérarchie et communiquer également avec les représentants du personnel.

3/ Conditions de réussite de l'action :
- Accompagner l'encadrement dans ses nouvelles missions de management par les compétences avec un entraînement pédagogique sous toutes ses formes.
- Avoir repéré les emplois cibles ou rares à maintenir pour l'entreprise.
- Se mettre d'accord sur les compétences à évaluer : compétences métiers, compétences transverses...
- Favoriser la mobilité en créant des « aires de mobilité » : plus de souplesse dans le passage d'un métier vers un autre, d'une entreprise ou filiale à une autre, d'un secteur d'activité à un

autre, d'une branche professionnelle à une autre… se relier à l'observatoire des métiers.

- Créer des outils de transformation par les connaissances (base de connaissances communes, spécifiques à un métier, à plusieurs métiers, tests de connaissances et de compétences en ligne…).
- Mixer formation en présentiel et formation en ligne.
- Communiquer à travers les réseaux : intranet, extranet, forums de discussion, communautés de pratiques…
- Optimiser la démarche compétence :

– dès le recrutement, évaluer les savoirs et les potentialités

– articuler le plan pluriannuel de formation lié aux stratégies individuelles des salariés « acteurs de leur formation » et l'organisation qualifiante en réseau fondée sur le partage des connaissances

– intégrer la gestion par les compétences dans les pratiques ressources humaines : management, promotion, rémunération…

– reconnaître et valoriser les compétences par le portefeuille individuel de compétences dans lequel s'inscrit la V.A.E. (Validation des acquis expérientiels)…

Cette démarche peut faire l'objet d'actions complémentaires comme la création d'un « livret commun de bonnes pratiques » afin de définir le cadre contextuel de la création d'un comité d'orientation professionnelle et le déroulement des entretiens. Selon le cas, il peut être question de déterminer les valeurs partagées, de comprendre et d'identifier la stratégie à développer, d'avoir une démarche commune pour mener un entretien d'orientation.

Des résistances d'acteurs peuvent s'opérer face à un travail très structuré où la liberté de faire différemment s'amenuise. Nous rencontrons la même difficulté devant l'outil informatique ; dès le début de la messagerie électronique, selon le climat social, c'est un succès ou un échec. L'échec peut se produire du fait des incertitudes économiques et de leur impact sur l'emploi, alimenté par des rumeurs ou tout simplement le manque de transparence, de confiance dans les équipes dû à un management par la pression ou le harcèlement moral.

Un guide méthodologique doit être expliqué et compris par tous, pourquoi il est mis en œuvre ; ainsi, la transparence coule de source. Nous envisageons le développement du management par les compétences, au minimum dans un climat social favorable, dans la clarté des objectifs et un engagement des acteurs responsables.

Voici un exemple de « livret commun de bonnes pratiques » outil de base à enrichir en groupe de travail.

NOS VALEURS PARTAGÉES :

- CONFIANCE RÉCIPROQUE
- RESPECT de la personne
- CONFIDENTIALITÉ des informations recueillies
- DÉCISION prise en commun
- PRÉSENTATION à la DRH du PROJET en accord avec le salarié
- ENGAGEMENT DE RÉSULTAT

NOTRE STRATÉGIE RH :

- La Direction Régionale s'informe auprès des instances nationales…
- La Direction Régionale informe les Directions d'unités opérationnelles sur les orientations et les priorités…
- => donne une vision…
- Les Directions d'unités opérationnelles s'informent auprès du comité de direction
  de la DRH
  de la formation
sur les projets en cours…
- Les Directions d'unités opérationnelles :
  Consultent la DRH…
  Donnent leur avis…
  Décident…
  Rendent compte…

NOTRE DÉMARCHE COMMUNE :

- Les bonnes questions pour connaître le parcours professionnel du salarié, son projet, ses aspirations…
  PASSÉ : ce que j'ai fait, ce que j'ai appris, ce que j'ai utilisé…

PRÉSENT : ce que je fais, ce que j'apprends, ce que j'utilise…

FUTUR : ce que je pourrai faire, ou ce que je pourrai encore apprendre, ce vers quoi j'aurai envie d'évoluer…

LES BONNES ATTITUDES À ADOPTER

- Mettre en confiance
- Développer une écoute active
- Poser des questions claires et précises
- Reformuler, clarifier, comprendre
- Synthétiser
- Conclure…

En qualité de consultant, nous nous devons de souligner à nos commanditaires dans quel état d'esprit ces démarches peuvent s'effectuer. En effet, dans un contexte de crise ou de climat social tendu lié à des plans sociaux ou des restructurations, voire fusions, vouloir mettre en œuvre cette démarche de « management par les compétences » pour gagner durablement en compétitivité, est prématurée et surtout vouée à l'échec. Elles seront vécues comme un phénomène de mode, et les individus deviendront encore plus réfractaires à ces changements organisationnels sans lendemain. En parallèle à ces actions développées sur le long terme en relation avec le management par les compétences, les évolutions consistent aussi à transformer l'entreprise par les connaissances. En effet, les grandes ou petites entreprises se transforment profondément en s'appuyant sur des projets opérationnels de connaissance. Même si nous assistons bien à un renforcement des compétences individuelles et collectives, comment appréhender la mise en place de ces changements majeurs, face à des « acteurs déboussolés » par un monde qui change dans ses mentalités et dans sa façon de travailler.

Les idées clés

Évoluer dans ses mentalités.

4.2. Passer d'une logique de poste à une logique de compétence

Dans ce cadre-là, il s'agit de dépasser l'approche « métiers » pour gérer les compétences, en particulier les compétences transversales à un métier. Nous avons déjà pu voir dans de nombreuses entreprises l'important travail réalisé sur les référentiels métiers d'entreprise ou par secteur d'activité. Prenons le cas des assurances, il existe déjà depuis 1998 un observatoire de l'évolution des métiers de ce secteur, adapté à des métiers spécifiques. Des études sont en cours de réalisation pour les métiers des ressources humaines. Cependant, elles existent depuis 2002 pour le marketing, l'informatique et les télécommunications.

Depuis déjà plusieurs années, dans les services informatiques, co-existent l'ancien et le nouveau système avec une exigence croissante de qualité, une pression sur les coûts avec une demande forte de mutualiser les moyens. Par voie de conséquence, la mise en œuvre des N.T.I.C. touche directement les métiers de la production et de l'exploitation, en particulier pour ceux travaillant sur les gros systèmes.

Avec les clients, partenaires pouvant avoir accès direct au système d'information de l'entreprise grâce aux technologies Web, de nouvelles contraintes apparaissent en terme de compétences. En effet, ces contraintes impliquent des compétences nouvelles en gestion de sécurité. L'ouverture des plages horaires nécessite de plus en plus une gestion souple du temps de travail et donc la refonte des programmes existants. Ces nouvelles exigences doivent inciter les entreprises à anticiper les tensions psychologiques liés aux accès par le net et définir des priorités en terme de gestion des informations en temps réel et en temps différé.

La complexité des systèmes exige de nouveaux profils comme les métiers d'intégrateurs ou gestionnaires de processus transverses pour conduire le changement technologique en interne. Il semble indispensable d'accompagner ces changements et de valoriser ces transformations.

La pression sur les coûts incite aussi les entreprises à mutualiser et/ou à externaliser certaines activités. Il est essentiel de prendre les précautions qui s'imposent et éviter de réitérer les

195

erreurs du passé avec les dysfonctionnements liés à de la sous-traitance dans les années 90 « qualité de services ». De grands groupes ayant externalisé leur savoir-faire prennent cons-cience a posteriori des problèmes rencontrés et réintègrent leurs équipes, en particulier pour gérer des applications métiers ou spécifiques à l'entreprise. Externaliser en prenant soin de mesurer les risques à venir sur des projets, en particu-lier les applications dont le cahier des charges est traité parfois avec négligence comme les relations avec les prestataires de services. Les « contrats qualité » existent et il semble capital de les utiliser afin d'éviter ce type de dysfonctionnement. Renfor-cer les compétences : relation « clients-fournisseurs » est aussi d'actualité de nos jours, celles aussi en contrôle de gestion, toujours dans le sens d'une meilleure maîtrise des coûts.

L'ère de la transversalité

À ce stade de la réflexion, nous pouvons constater que ces récents changements de technologies ont accru la flexibilité des plus de 50 ans. En effet, les précédents passages de gros systè-mes à des environnements ouverts ayant touché les informati-ciens qui ont 50 ans et plus montrent qu'ils ont acquis une certaine souplesse et une capacité d'adaptation.

Malgré les excès passés liés à la « bulle internet », les N.T.I.C. représentent de toute évidence des possibilités de création d'emploi à moyen terme.

Ainsi, cet exemple doit motiver les directions à recruter ou réin-tégrer des « seniors ». Selon nous, cette catégorie d'acteurs doit aussi être intégrée dans une gestion globale par les compéten-ces. Créer des liens entre les nouvelles générations et les anciennes, c'est aussi aller dans le sens de la transversalité, vivre en dehors des âges et de la hiérarchie. Chacun peut apprendre de l'autre s'il a envie de sortir de son territoire. La transversalité correspond au décloisonnement des services, des métiers, … nous évoluons vers une logique « management de projets ». Pour le collaborateur qui s'inscrit dans un projet transversal, il a bien un responsable hiérarchique métier, un responsable de projet et lui-même. Cette relation tripartite est à respecter car de nombreux conflits naissent selon l'implication du responsable hiérarchique, pas toujours suffisamment informé de la charge de travail de son collaborateur et du temps consacré aux projets transversaux. Ce sont des précautions à prendre afin d'éviter des conflits ou des pressions managériales inutiles qui nuiraient à la réalisation des projets en cours, d'une part ; d'autre part, éviter de décourager des dirigeants, volontaires pour évoluer vers un management par les compétences où nous pourrions imaginer une ligne hiérarchique de dirigeants, d'experts, de responsables opérationnels chargés de développer des projets transversaux avec leurs équipes en formant des « groupes projets ». Les compétences nécessaires seraient ainsi mises à disposition à travers l'utilisation des réseaux.

Dans la mesure où nous essayons de tirer des enseignements d'expériences passées dans les entreprises, la réussite de la transformation des entreprises est assurée. Pour ce faire, les leviers du changement se trouve à l'intérieur de l'entreprise, grâce à ses acteurs et l'envie de se mobiliser autour de nouveaux projets dans le partage des connaissances et le redéploiement des compétences.

En conclusion, les directions peuvent hésiter à mettre en œuvre ce management par les compétences, au vu de la reconnaissance sociale engendrée par ce processus. Rappelons ici l'ouvrage de Valérie MARBACH, *Évaluer et rémunérer les compétences*.

Nous savons combien ce processus est complexe et peut évoquer chez nos dirigeants le souvenir de tensions sociales avec les syndicats. Actuellement, dans les entreprises où des restructurations s'effectuent, ils réfléchissent au fait d'harmoniser les politiques de rémunération. Des choix politiques s'opèrent en concertation avec les syndicats qui doivent poursuivre leurs actions dans le sens du dialogue social et de la négociation. Toutefois, les solutions retenues ne sont pas toujours avantageuses pour les salariés, il s'agit d'être réaliste par rapport à la situation financière de l'entreprise. Dans le cadre de fusions, nous voyons des salariés accepter une baisse de rémunération substantielle en vue d'harmoniser les salaires d'une catégorie d'acteurs sociaux pour maintenir les emplois.

Dans des conditions économiques de faible croissance, il faut du courage et être responsable pour tenir un poste de manager.

Les idées clés

- Dépasser l'approche métier et évoluer vers la transversalité.
- Rémunérer les compétences.

4.3. Stratégie de partage des connaissances : vers le redéploiement des compétences à travers la coopération

Aujourd'hui, le partage des connaissances semble être un enjeu majeur au sein des entreprises pour progresser dans la performance économique et sociale. La mise en place des outils technologiques pour partager la connaissance est une des conditions de réussite pour les entreprises de toutes tailles. La différence peut être une question de moyens pour les petites entreprises manquant de personnel pour gérer le capital humain et les compétences.

Néanmoins, elles pourront éventuellement jouer sur des communautés de travail en ligne avec une plus grande souplesse ou une meilleure réactivité que les grandes entreprises, la taille pouvant être un handicap pour bouger les choses rapidement. Là aussi, nous assisterons probablement à plus d'aisance pour mettre en place ces systèmes dans les secteurs « haute technologie », les outils faisant partie de leur quotidien. En effet, utiliser les forums de discussions, animer et valoriser les communautés de pratiques à travers les réseaux informatiques semblent d'actualité, en particulier pour les jeunes générations.

À notre sens, dans le partage des connaissances intégré dans le management par les compétences, il est indispensable de réfléchir à créer une cellule prospective pour mettre en place une veille : « veille économique », « veille technologique »…

Dans les projets intranet, extranet, ou encore des systèmes d'apprentissage en ligne comme le « e-learning » avec une pédagogie adaptée pour apprendre de façon autonome en pouvant par exemple interroger un professeur à travers un forum de discussion, l'information est complexe à gérer, à cause de la surinformation.

« Selon le service auquel j'appartiens, quelles informations retenir, comment traiter cette surabondance d'informations » ?, évoquent certains stagiaires tous niveaux de responsabilités confondus.

En effet, ces individus sont déjà amenés à trier l'information selon les objectifs fixés et sélectionner l'information à transmettre à leur équipe selon les projets, la répartition des travaux à réaliser et ne prennent pas toujours le temps de vérifier si l'information est juste.

La valeur de l'information se complexifie avec l'unité de temps, de lieu et d'action. Pour traiter l'information avec l'avènement des nouvelles technologies de l'information et de la communications (N.T.I.C.) l'analyse factorielle traditionnelle ne suffit plus. En effet, nous avons encore trop tendance à travailler sur les données et insuffisamment sur les liens systémiques. Les moyens phénoménaux mis à notre disposition par les technologies de l'information et de la communication ouvrent des possibilités mais ne doivent en aucun cas nous empêcher d'innover. Comme nous le soulignions précédemment dans nos écrits, il s'agit d'utiliser ces outils avec « intelligence » et selon ses besoins, au moment le plus propice, en dépassant les fonctionnalités puissantes. Il convient avant tout d'être méthodique, de savoir ce que nous recherchons et dans quel but.

Nous rappellerons ici en référence aux ouvrages sur « la théorie des organisations », que l'organisation d'une entreprise se définit comme un système avec des éléments interdépendants. Cependant, il ne peut y avoir d'organisation sans individus... Le terme « individu » renvoie aux sentiments, valeurs et compétences de chaque salarié placé dans une situation de travail donnée dont l'origine est son expérience professionnelle, sa culture et la perception de son environnement. Dans une organisation, ce sont les comportements, les actions ou les influences des personnes que nous retenons essentiellement. Nous oublions trop

199

souvent l'être humain dans sa globalité, avec ses valeurs, ses croyances, ses propres représentations. Deux logiques se côtoient, l'une formelle et l'autre informelle. Dans une structure formelle, nous avons d'une part, des règles établies, de politiques, des habitudes et des connaissances codifiées qui induisent certains comportements significatifs d'une certaine culture d'entreprise, d'un état d'esprit. Dans un environnement plus informel, il peut y avoir des personnes capables de communiquer entre elles et décidées à participer à des actions destinées à atteindre un même but. C'est l'illustration même de la « coopération » entre les différents membres d'un groupe de travail.

Pour ces différentes raisons exposées précédemment, c'est la volonté des acteurs d'aller vers un même but qui sera déterminante pour évoluer vers un management coopératif en intégrant les nouveaux réseaux de communication comme internet.

Il existe déjà un développement de forums d'échanges et discussion sur intranet entre les différentes entités d'entreprise de grands groupes. La mise en place d'un « management par la connaissance » peut également s'appliquer à l'ensemble des filiales d'un groupe international. Ici, il s'agit bien de partager de l'information commune au groupe et utile pour son fonctionnement. L'utilisation de ces outils et techniques comme le « e-learning » ou le « e-portfolio » reste encore à l'état embryonnaire sauf à l'Éducation Nationale où il semble que des recherches sont en cours sur le sujet, en particulier pour partager des connaissances dans l'enseignement sur la capitalisation des savoirs… Il existe des bases de données de référentiels de compétences mises en ligne et dédiées au monde académique.

Dans certains grands groupes les dirigeants eux-mêmes s'impliquent fortement dans ces processus novateurs et ces outils « portefeuille de compétences » en ligne sont valorisants pour les individus. Ces outils de connaissances et de compétences personnelles mis en réseau peuvent devenir un outil de gestion des connaissances au sein de communautés professionnelles ou d'organisations. Dans la mesure où le « portefeuille de compétences » peut se numériser, il donne à l'individu une traçabilité de son parcours mais peut devenir aussi un outil de partage et de reconnaissance au sein d'une communauté professionnelle. Le fait de pouvoir travailler en réseau ou avec des services en ligne permettra certainement dans un avenir proche de faciliter le travail de l'évaluateur, de mieux planifier la formation tant au niveau individuel que collectif.

Les arguments avancés en faveur de « e-learning » sont depuis trop longtemps la réduction des coûts de la formation et le retour sur investissement immédiat. Or, nos dirigeants le savent très bien, « une société de connaissances » exige de nouvelles modalités d'apprentissage et d'évaluation. Il semble donc important d'impulser ces changements de mentalités en valorisant les apprentissages en continu, formels comme informels, de donner à tous des outils pour partager et faire reconnaître son expérience et ses compétences.

Nous avons pu constater une pression toujours croissante pour produire de meilleurs résultats. De nombreux dirigeants commencent à réfléchir et décident de mobiliser leurs directions opérationnelles à partager toute la somme de connaissances inexploitée au sein des groupes. Dans certains d'entre eux, c'est au niveau du directoire que l'ensemble des activités de partage des connaissances s'effectue comme d'identifier les thèmes transverses. Ces décisions relèvent en effet de règles devant être établies par l'encadrement supérieur, en terme de sécurité et de confidentialité. La transparence a ses limites, ne signifie en aucun cas tout partager mais permettre une bonne circulation ascendante, descendante, voire transversale dans le respect des règles de confidentialité. Nous avons déjà évoqué les problèmes liés à la surinformation, si nous voulons que ces systèmes fonctionnent, il doit y avoir une structuration des données partagées en fonction des objectifs stratégiques. Prenons le cas d'un réseau international composé « d'experts » qui peuvent représenter les grandes entités opérationnelles selon des critères définis dans les profils de poste ; en l'occurrence, ils sont chargés de veiller à ce que nous entendons par partage des connaissances. Sans tomber dans des systèmes de management technocratique, les experts ici ont leur importance et ont un rôle à jouer dans l'information véhiculée par les directions métiers par exemple…

À travers le réseau intranet dans un groupe international où il est permis d'accéder à des renseignements, des programmes, des groupes de discussion spécialisés selon son niveau de responsabilités hiérarchiques ou non hiérarchiques dans le cadre

201

de projets transversaux, ces actions mobilisatrices ne peuvent déboucher que sur des résultats toujours plus satisfaisants.

Naturellement, il va de soi que ces initiatives sont soutenues dans le temps par les directions générales.

Quelques recommandations pour le développement du partage des connaissances

La démarche nous semble pouvoir s'appliquer aussi bien à une entreprise internationale, européenne que nationale, à savoir :

– Décider de la base de connaissances à mettre en œuvre : comment, avec qui, pour qui ?
– Quels savoirs prioritaires sont à partager, par exemple pour les présidents de sociétés de grands groupes ?
– Définir les différents savoirs à partager par déclinaison hiérarchique selon les règles de confidentialité.
– Décider d'une base de connaissance commune accessible à tous.
– Veiller à impliquer dans des « groupes experts » les acteurs concernés afin d'éviter de voir par exemple, les directions métiers véhiculer des informations sans tri préalable.
– Créer un hébergement centralisé, sécurisé avec un annuaire global d'entreprise intégrant l'identification des utilisateurs.
– Développer « l'intranet » avec des experts en interne pour être adapté à la philosophie de l'entreprise et à ses besoins.
– Créer une dynamique en terme de cohésion d'équipe.

D'après une enquête IPSOS du 6 juin 2003 dans le journal *Argus de l'assurance* N° 6837, il semblerait que « les intranautes » les plus assidus restent les « cols blancs », cadres et professions intermédiaires. Dans cet article, la tâche essentielle de l'intranet vise en effet à créer des postes de travail « intelligents ». Cela reste la base du travail des cadres, capables de remettre de l'ordre dans l'information papier brute.

Souvenons-nous de cette annonce dans les années 90 de l'évolution en entreprise vers la gestion électronique des documents, soit le « zéro papier ». Quelle hétérogénéité constatée selon les secteurs d'activité mais surtout quels désordres !... Les directions générales se forment elles-mêmes ou envoient leurs assistantes de directions en formation pour redéfinir le système de classement au niveau de la structure et surtout revoir les circuits d'information.

Cette enquête ne fait que confirmer ce que nous constatons dans les séminaires à cette période. Les évolutions sont lentes, mais cette impulsion de changement dans la façon de travailler avec les réseaux, soutenue par la direction générale, pourra nous montrer dans les années à venir que l'intranet ne s'arrêtera pas à la communication mais dépassera le partage des connaissances en s'inscrivant dans un « management dynamique par les compétences ».

Définissons ce type de management comme élargi au sein de l'organisation toute entière, formant des groupes projets autour d'un projet commun avec des individus ayant des compétences complémentaires, motivés et volontaires pour coopérer sans hiérarchie mais pouvant s'aider de coordinateurs, de facilitateurs en vue de faire aboutir le projet.

De réels développements sont à venir avec une culture identitaire partagée au niveau groupe selon sa taille. Cette intégration se heurte à des obstacles technologiques, les directions informatiques ayant trop longtemps négligé les fondations techniques. Les sites métiers contribuent à remplacer le flux papier. Ainsi, il pourra y avoir des sites créés avec plus de « e-services ». Actuellement, nous observons dans les directions ressources humaines l'industrialisation de certaines activités comme la gestion des congés, les notes de frais, les réductions du temps de travail. Un recentrage s'effectue sur les tâches à valeur ajoutée comme les bilans de compétences pour favoriser la mobilité interne, voire certaines initiatives cohérentes en matière de « e-learning »…

En effet, des groupes sont spécialement en avance sur l'intranet comme le secteur des assurances. Dès 1995, certaines sociétés d'assurance fédèrent les fonctions transversales telles que : les ressources humaines, les finances, les achats… avec un encouragement de la direction générale y compris pour les employés adoptant le réflexe intranet à travers la suppression de formulaires telles que : commandes de fournitures, congés… Ces actions contribuent à la réduction des coûts et à la survie de l'entreprise dans un contexte économique difficile.

203

À partir de l'année 2000, ces groupes poursuivent leurs actions vers « l'intelligence collective » en capitalisant le savoir-faire des employés dans les systèmes d'informations. Pour entrer dans l'ère de « l'entreprise intelligente », il s'agit de bien l'organiser sachant que l'intranet repose sur la hiérarchisation de l'information par mots-clés.

Dans la mesure où la création de valeur repose sur la gestion de la connaissance, « partage de la connaissance », l'intranet semblerait pouvoir apporter une réponse au problème de la transmission des savoirs entre les anciennes générations qui sont sur le point de partir à la retraite et les nouveaux venus.

En raison des applications métiers, la rénovation des systèmes d'information autour des technologies Web ne peut être que progressive et compte tenu de l'ampleur de ce chantier, il est à échelonner dans le temps.

Il s'agit de dépasser ces constats relevant d'une grande complexité pour construire une entreprise intelligente capable de fonctionner à travers les réseaux.

Idées clés

- Impliquer les directions générales pour déterminer la base de partage des connaissances.
- Veiller à la bonne utilisation de l'outil par les directions opérationnelles de par les informations à véhiculer sur le site.
- Sécuriser le système et définir des règles de confidentialité.
- Avoir la volonté de le faire fonctionner.
- Créer une synergie entre les équipes dirigeantes et opérationnelles.

4.4. Développement des compétences : « Formation tout au long de la vie »

Nous venons de lister quelques outils ou méthodes pour évoluer vers un management par les compétences. Néanmoins, nous voyons bien qu'il demeure essentiel de se donner les moyens d'atteindre ce but, les outils ne suffisent pas, ce sont les hommes et les femmes de l'entreprise qui permettront l'accessibilité aux bonnes informations au « juste temps », en choisissant de travailler en équipe et dans un bon état d'esprit. Ce ne sont que dans ces conditions que des évolutions se produiront sur le plan humain.

Structurer une organisation, formaliser des documents en vue de rationaliser le fonctionnement sur le plan institutionnel nous semble fondamental. Cependant, la constitution d'un groupe est complexe dès qu'il s'agit de faire travailler les personnes ensemble.

La formation peut être un des moyens de conduire le changement pour acquérir d'autres mécanismes dans le but de remettre en cause ses habitudes, adopter d'autres façons de travailler. Le contexte social doit être favorable, c'est l'une des caractéristiques à respecter.

« *Dialogue et coopération sont les garants du succès... mais les individus ne sont pas prêts à partager les informations, à communiquer* », nous dit Dominique THEVENOT dans son ouvrage sur le partage des connaissances. Dans ce cadre-là on accède à la mémoire collective.

Selon lui, il faut apprendre à utiliser la mémoire collective à travers les guides, les règles, les procédures existantes mais également apprendre à enrichir la mémoire collective en y inscrivant ses propres acquis, son expérience personnelle (positive et négative), sa créativité.

Les savoir-faire individuels et collectifs

Le savoir-faire individuel peut s'enrichir par l'expérience, les contacts et échanges avec les collègues mais pour un nouvel arrivant dans l'entreprise, c'est l'apprentissage, le tutorat, le parrainage selon le même auteur. En effet, ce processus de transfert est peu contrôlable et dépend de la motivation, de la culture, de la personnalité et de la disponibilité des individus.

Selon le même auteur, il y a également un risque de paupérisation progressive « *à part les apports de sa propre créativité, chacun n'enseigne que ce qu'il a retenu ou ce qu'il utilise* »...

Comme il le souligne également, il demeure capital de s'appuyer sur des documents de références « normés » relatifs au savoir-faire collectif qui rend celui-ci accessible à tout membre habilité de l'entreprise.

En effet, c'est concilier savoir-faire individuel et collectif à travers les processus de consultation, de diffusion, de communication, de promotion, de formation et d'assimilation. Lier « formaliser et former » pour répéter le succès et éviter les échecs nous semblent indissociables de nos jours, si nous voulons être efficaces et faire des économies.

Nous entendons ici par formalisation du savoir, la mise en forme d'informations réutilisables pour d'autres produits ou projets. Dans la mesure où le but final de la formalisation est d'accroître la compétence des hommes, il semble évident de passer aussi par l'exercice de la pédagogie « l'art de transmettre des messages ».

Enfin, il s'agit bien là de développer la culture de traçabilité, transparence, classement, partage des connaissances, coopération, dans la perspective d'avoir une activité plus fluide et une entreprise plus compétitive.

Vers une logique de coopération.

Revenons sur la « coopération », base fondamentale pour évoluer vers un management par les compétences en passant par le partage des connaissances, la capitalisation des savoirs… Développer une culture du partage des connaissances, c'est s'investir et investir en remettant l'homme au centre de l'organisation dans une approche systémique.

Pour l'homme et son mode de fonctionnement managérial, c'est remettre en cause ses habitudes, en particulier s'appuyer sur la coopération, source de progrès permanent.

Lors de la constitution d'un groupe, se profilent des personnes ayant des affinités ou partageant les mêmes valeurs ; d'autres doivent faire connaissance et tentent d'échanger et de se comprendre pour participer à la réalisation de projets communs ; néanmoins tous doivent fournir un effort pour s'orienter vers les mêmes buts.

Nous l'avons explicité dans les précédents chapitres de cet ouvrage, la personnalité de l'individu, sa capacité à modifier son comportement face aux autres, la façon dont il accepte les différences, son respect de l'autre, son envie de partager… peuvent favoriser comme freiner les travaux au sein d'un groupe, voire devenir conflictuel…

La pratique du travail en équipe fera de chacun de « nous » un véritable manager de partage des connaissances, engagé dans le processus de l'entreprise apprenante dans le sens de la valorisation des métiers et des compétences.

Optimiser ce processus correspond à la définition d'objectifs stratégiques étroitement liés à l'amélioration de la performance de l'entreprise dans sa globalité. Le fait de créer des universités d'entreprise sera un moyen de pérenniser la formation. Néanmoins il semble essentiel de concilier la formation ou les réunions de travail en présentiel, avec le développement d'outils virtuels en réseau.

Les idées clés

- Concilier savoir-faire individuels et collectifs.
- Coopérer et partager les connaissances.

4.5. Les effets de la mondialisation : impact sur l'organisation, contraintes pour le manager, exigences en terme de qualité

Nous avons pu noter tout au long de cet ouvrage les raisons pour lesquelles, il nous semble fondamental de transformer son organisation avec la « stratégie des petits pas ».

Selon notre conception, le manager de demain devra être capable d'adopter les différents styles de management, très vite, selon ses besoins en agissant en permanence sur le long terme et le court terme. Travailler en réseau et faire évoluer son organisation dans ce sens, nécessite de former et se former tout au long de la vie pour développer les « bonnes compétences » au juste temps dans le respect de la qualité.

La satisfaction des clients

Dans un contexte de concurrence accrue, c'est la qualité des produits mais également la qualité de service aux clients, perçue par le client comme un avantage concurrentiel qui fera la différence.

En référence à Richard SENNETT, son ouvrage *Le travail sans qualités* souligne les conséquences de la flexibilité. À cet égard, il est prudent de ne pas chercher systématiquement à externaliser les ressources humaines au risque de le regretter. En effet, souvenons-nous de cette période de 1980 où les groupes industriels, dans le souci de rester compétitifs, ont externalisé certaines activités comme les services. Des salariés désireux de créer leur structure et auxquels le groupe s'engage à assurer du travail pour démarrer leur entreprise, voilà une situation favorable et bénéfique pour les deux parties. Mais considérons les services externalisés plus tard comme les services informatiques, afin de réduire les coûts salariaux, lorsque des erreurs se produisent il s'avère qu'elles coûtent beaucoup plus cher à l'entreprise.

Le coût des prestations de services et le non respect des cahiers des charges amènent les directions informatiques à réfléchir à leurs besoins de façon globale et non plus service par service. Nous constatons de nombreux dysfonctionnements d'organisation liés aux NTIC, auxquels s'ajoutent des fusions ou restructurations d'entreprises, certaines entreprises réintègrent ces équipes informatiques.

C'est la raison pour laquelle nous attirons l'attention des dirigeants : externalisez certaines activités en ressources humaines comme le recrutement, le bilan de compétences mais pas toutes les activités.

Posons-nous la question : Pourquoi décide-t-on d'externaliser ?

Prenons l'exemple de la formation, pour des raisons de fiscalité et de mobilité interne mais également pour des questions de métiers spécifiques, nos dirigeants peuvent décider de créer ou conserver un service formation interne.

Dans l'industrie cimentière, dans les assurances, dans les hôpitaux, externaliser la formation technique, spécifique à un métier peut occasionner des déboires représentant finalement des coûts plus importants. Il s'agit de prendre les bonnes décisions, cela relève de choix politiques, économiques ; il est bon aujourd'hui d'avoir une réflexion de fond sur l'ensemble de ces composantes afin d'éviter la déstabilisation du monde du travail…

Nous pouvons considérer que l'exigence la mieux respectée en terme de qualité est celle des produits, car celle-ci est directement liée à la satisfaction du client. Dans le cas contraire, le client insatisfait se tourne vers la concurrence.

La satisfaction du personnel

La satisfaction du personnel devient une préoccupation pour les entreprises conscientes de l'avantage concurrentiel en ayant des salariés performants, motivés, « bien dans leur tête »

Ainsi des directions des ressources humaines réfléchissent à la manière d'harmoniser leur politique de rémunération car la reconnaissance sociale est complexe à mettre en œuvre.

En effet, il semble y avoir des avis contradictoires entre maintenir le « salaire au mérite » ou évoluer vers une redistribution d'une partie du chiffre d'affaire sur une équipe. L'intérêt du passage d'une gestion individuelle à une gestion collective est loin d'être partagé par tous.

Il nous semble que les instances comme le MEDEF, les branches professionnelles, les partenaires sociaux doivent poursuivre leurs travaux de réflexion dans la concertation et le dialogue afin d'aboutir à des solutions adaptées pour tous.

La satisfaction des salariés passe aussi par la qualité du management ; les managers doivent être capable de créer un esprit d'équipe, d'instaurer un climat de confiance afin que les salariés ressentent une bonne ambiance et travaillent avec plaisir. Prendre le temps d'écouter son personnel, restaurer les règles de vie de groupe les plus simples et éviter les excès…

La satisfaction des actionnaires

Diriger une entreprise oblige à une rigueur de gestion jusqu'au respect des actionnaires. Selon une enquête dans le *Journal des finances* de juin 2003 sur la rémunération des grands patrons, cet article montre les abus d'une minorité de dirigeants qui s'octroient des hausses de salaire sans rapport avec l'évolution des résultats et des cours en Bourse.

Au point que des membres de l'Assemblée nationale se saisissent du problème et créent une loi pour permettre de réguler les dérives de managers utilisant « leurs pleins pouvoirs ». La confiance dans les dirigeants doit être maintenue avec la création d'un comité d'éthique au plus haut niveau de l'État afin de retrouver certaines valeurs morales nécessaires pour maintenir, voire restaurer un certain climat de confiance.

Dans nos écrits précédents, nous soulignons suffisamment l'importance de remettre l'être humain au cœur des organisations, mais est-il considéré comme créateur de valeur et de richesse pour l'entreprise, par l'ensemble des dirigeants ?

Les développements technologiques prévus resteraient insuffisants sans l'homme pour moderniser, transformer l'entreprise… Cependant, l'homme devra évoluer au fil du temps dans ses capacités managériales.

En conclusion, dans cette phase de mondialisation, nous devrions réussir à partager nos richesses en cherchant à conserver un certain équilibre entre redéploiement économique et paix sociale.

Tous les acteurs devront s'y employer en commençant par l'État en légiférant et en réglementant dans le sens d'une budgétisation et d'une fiscalité en cohérence avec l'équilibre social recherché. Les patrons concilieront leurs objectifs stratégiques et le développement des entreprises. Les syndicats s'ouvriront à des échanges en tenant compte des réalités, plutôt que des « cramponnements idéologiques ». Les salariés prendront conscience de l'inéluctable évolution des métiers, adhéreront à des formations nouvelles et accepteront la mobilité sociale.

L'exemple de la convention Européenne sous l'impulsion de Valéry Giscard d'Estaing témoigne de cette capacité à réussir ce challenge.

Chacun devra s'engager à respecter les règles définies et prendre ses responsabilités pour un bonheur partagé par tous dans l'équilibre des nations.

Les idées clés

- Concilier redéploiement économique et paix sociale.
- Poursuivre dialogue et concertation entre l'État, le MEDEF, les branches professionnelles et les partenaires sociaux.

Chapitre 5 Les résistances au changement : un challenge à relever individuellement ou collectivement ?

Les résistances au changement sont évoquées à travers différents exemples. Cependant, il existe des leviers du changement à expérimenter selon la situation de l'entreprise et ainsi permettre la modernisation de l'organisation et l'évolution des mentalités. C'est aussi être capable de dépasser les contraintes liées à la mondialisation, à travers l'acception de développer une carrière internationale en s'expatriant ou en s'impatriant, de s'ouvrir à d'autres cultures, de s'adapter à d'autres mentalités, développer d'autres compétences en travaillant en réseau…

Nous pensons qu'il est capital de revaloriser la fonction managériale mais également le travail. De nos jours, les individus « jeunes et seniors » doivent pouvoir être porteurs de sens ou donner un sens à leur vie en choisissant de s'investir dans un projet de vie, en retrouvant un certain plaisir à travailler.

En référence à l'ouvrage *Le bonheur et le travail* de Christian Baudelot, et Michel Gollac avec Céline Bessiere, Isabelle Courtant, Olivier Godechot, Delphine Serre et Frédéric Viguier, il semble important de rappeler ce que travailler veut dire.

Revenons à 1973 avec le choc pétrolier, nous sommes déjà dans une guerre économique. La façon de travailler évolue lentement mais le monde du travail change… Il y a un monde disparu avec celui des organisations rigides et hiérarchiques, les restructurations, réorganisations parfois incontournables d'entreprises qui remplacent le vocabulaire d'antan : expérience, savoir-faire, métier, promotion, embauche à salaire croissant par chômage de masse, concurrence, flexibilité, précarité, compétence…

André GORZ, nous informe dans les années 90 que la valeur du travail change… déjà une rupture s'installe entre la génération d'après la guerre de 1945 et les jeunes qui veulent travailler mais pensent aussi aux loisirs. Le principal obstacle au développement des loisirs est le manque d'essor économique avec ses conséquences sur l'emploi.

En 1994 Michel GODET dans son ouvrage *Emploi : le grand mensonge* nous met en garde par rapport à la baisse de natalité, et l'allongement de la vie, la France devra-t-elle travailler plus et plus longtemps ? Moins de postes, moins de travail pour tout le monde, cela fait partie des paradoxes que nous devons gérer aujourd'hui : réduire les coûts avec moins de personnel, et allonger la durée du travail compte tenu de la longévité de la vie… De nos jours, la pénibilité du travail n'est plus physique mais mentale. La valeur émancipatrice du travail existant antérieurement perd de son sens aujourd'hui, dans un contexte économique difficile avec des restrictions budgétaires défavorables au recrutement de nouveaux personnels. Les contraintes de pénibilité remplacées par la pression injustifiée de certains managers, ajoutées au stress généré par les nouvelles technologies, rend le travail insupportable.

À travers nos études sur le terrain, les effets de l'introduction des N.T.I.C. nous montrent l'augmentation de la charge de travail et non la diminution tant espérée… des erreurs sont commises de licencier parfois des individus dont les compétences s'avèrent indispensables quelque temps plus tard, nous observons une pression liée aux nouveaux outils, aux apprentissages réduits dans le temps, mais également à celle que s'imposent les individus selon les critères d'exigence qualité. Enfin, il existe parfois un management contraint de réduire les coûts en augmentant la rentabilité. Ces excès de profit et cette insécurité provoquée par le chômage qui déstabilise le monde, ajoutés aux contraintes des managers bousculent les mentalités. Dans ces conditions, les dirigeants comme l'ensemble des salariés doivent retrouver leur identité et pérenniser le travail sous des formes adaptées à notre temps : télétravail, vacations, travailleur indépendant à temps plein, à temps partiel, à temps partagé entre plusieurs employeurs…

Avec les « autoroutes de l'information » entraînant une révolution culturelle forte, nous sommes en marche vers une organisation en réseaux, qui nous oblige à réfléchir à d'autres formes de travail, mais également à savoir rééquilibrer ses ressources avec un effectif satisfaisant pour tous. Les excès du quantitatif peuvent aussi contribuer à des excès de pouvoir et créer des tensions néfastes pour la survie de l'entreprise. Certes, nous pouvons évoluer vers un management par les compétences, mais il semble fondamental d'éviter de chercher à normaliser les comportements sociaux. Ni la peur, ni la contrainte ne doivent devenir des outils d'adhésion. Il est préférable de valoriser la confiance sans excès, ainsi de trouver un « juste équilibre » dans ses relations de travail, soit être en accord avec soi-même, avec les autres et l'organisation.

Nous devons nous poser la question : Comment revaloriser le travail et sous quelle forme ?

Pour retrouver un certain plaisir au travail, le discours sur l'homme « au cœur du projet » reste un grand classique même si la réalité est souvent plus prosaïque. Permettre aux dirigeants de réfléchir sur l'équilibre entre « profit » et « satisfaction des salariés » heureux de travailler nous semble capital pour construire une société humaine avec l'accès à l'information et au savoir, capable de produire des richesses et de les partager en créant des emplois. Pour ces dirigeants, c'est peut-être accepter des rémunérations moins élevées, d'augmenter les effectifs si nécessaire… pour gérer les projets à venir… faciliter la mise en œuvre de projets transversaux… Avoir le courage et l'ambition de s'investir dans un projet dynamique et porteur de sens relève peut-être de l'exploit compte tenu de ce manque d'essor économique mais vu comme un nouvel élan vers d'autres perspectives, un défi…

Les idées clés

- Obtenir l'équilibre entre le profit et la satisfaction des salariés.
- Revaloriser le travail.
- Retrouver le plaisir de travailler.

Conclusion

Ce guide a pour objet de revaloriser la fonction managériale dans un contexte de crise économique, organisationnelle, technique et sociale...

Nous considérons essentiel de donner les moyens à ces managers d'identifier leur identité managériale et de prendre conscience de leur identité relationnelle, culturelle afin de permettre les avancées technologiques indispensables. Avec l'homme « au cœur des projets » et pour relever ce défi de société, nous devons tenir compte des savoir-faire individuels et collectifs, permettre à chacun de s'épanouir sur le plan professionnel et personnel, pour les managers en étant à l'écoute de leur personnel, pour les salariés en retrouvant le plaisir de travailler d'où la nécessité de revaloriser le travail. Pour les plus jeunes, c'est avoir un emploi et avoir du temps libre pour les loisirs. Pour le monde du travail, c'est retrouver sécurité et consommation. Pour les retraités, compte tenu de la longévité de la vie, c'est avoir une activité en participant par exemple à la vie d'associations culturelles ou autres.

La pression du temps devenant plus forte avec les N.T.I.C., nous avons encore plus besoin de retrouver des temps de loisirs, de détente,... c'est-à-dire le temps de se ressourcer, le temps de se reposer, mais également d'établir des relations durables.

En référence à notre histoire, cet ouvrage fondé sur des réflexions personnelles, professionnelles et livresques, permettra peut être à chacun de décrire sa trajectoire professionnelle et extra-professionnelle en ayant le sentiment d'avoir participé à un projet de société, projet d'entreprise ou encore projet de se réaliser, un projet de vie.

Enfin, cela signifie retrouver le temps de vivre, le temps d'agir, le temps de penser, le temps d'aimer, le temps de rêver...

Les idées clés

- Relever un défi de société en remettant l'homme au cœur des projets de l'entreprise.
- Pour le monde du travail, retrouver sécurité et consommation.

CONCLUSION

Comment inciter les entreprises à mettre en place ce type de démarche ?

Pour aller plus loin dans la démarche d'une gestion prévision-nelle des emplois, il semble indispensable dans un premier temps d'analyser les facteurs de changement ; dans un second temps, afin de délimiter les frontières entre l'encadrement et les salariés, il pourra être défini de nouvelles classifications et les statuts correspondants et enfin, il s'agira de faire évoluer les structures en fonction du type de management exercé au sein de l'organisation.

En parallèle, il paraît utile d'analyser les métiers existants au sein de l'organisation et de la population (l'âge, l'ancienneté, les connaissances…). Une fois l'analyse des métiers effectuée, la transférabilité des compétences pourra avoir lieu en tenant compte des activités semblables répertoriées dans les différents emplois…

Ainsi la mobilité interne en sera facilitée.

- *Une mobilité horizontale* pour les personnes ayant des postes dont la formation est insuffisante par rapport aux nouvelles exigences de la fonction. Il conviendra de développer des for-mations adaptation ou reconversion en fonction de leur capa-cité et de leur motivation.

217

- *Une mobilité verticale* pour les personnes ayant des postes en adéquation avec leur formation ou ayant une formation supérieure par rapport aux exigences de la fonction. Il s'agit dans ce cas de développer des formations adaptation à un nouveau matériel ou de perfectionnement afin d'être plus efficace, ou de reconversion pour accéder à un autre niveau de fonction.

L'articulation entre la gestion prévisionnelle des emplois et la formation pourra avoir lieu, nous semble-t-il, selon les objectifs définis par la direction, à savoir :
– développer les compétences pour l'ensemble de son personnel ;
– accepter de gérer les sureffectifs ;
– prendre en compte les personnels non qualifiés et les former pour qu'ils puissent accéder à un poste en interne ou les aider à acquérir un poste à l'extérieur de l'entreprise.

Dans le cas contraire, si les entreprises décidaient de licencier une partie du personnel non qualifié, de recruter à l'extérieur des personnes plus qualifiées et de limiter la formation à des actions ponctuelles telles que l'adaptation à un nouveau matériel, pourrions-nous encore appeler cela de la gestion prévisionnelle des emplois ?

Enfin ne négligeons pas que nous sommes dans une société de droit. Pour faire évoluer la société, pour que les mentalités changent, il convient de prendre en compte dans une politique globale, l'ensemble des ressources humaines. Nous soulignons là, une nouvelle fois, l'importance de la dimension politique dans la définition d'une gestion prévisionnelle des emplois et des compétences.

N'avons-nous jamais constaté les écarts entre l'élaboration des lois et la mise en application dans les entreprises ? La réponse n'apparaît pas forcément dans les textes de lois, mais cela peut parfois donner une impulsion…

Les textes de lois ne sont pas une fin en soi. Nous rejoignons ainsi Michel CROZIER dans *On ne change pas la société par décret* mais les textes sont néanmoins des outils qui génèrent dans le temps des évolutions tant sur le plan des mentalités, que sur celui des organisations comme nous avons pu le constater dans le domaine de la participation avec le « droit d'expression des salariés et le développement de la participation… »

Certes, cela n'a pas toujours donné les effets escomptés, mais il semble que cela correspond à une première étape vers le changement...

Par ailleurs, les entreprises ne peuvent pas continuer à tout attendre de l'État mais ce dernier doit jouer son rôle par rapport aux demandeurs d'emploi de longue durée et sans ressources.

Pour les P.M.E./P.M.I. la première exigence, semble-t-il, est le remplissage des carnets de commandes ; en conséquence, investir sur les individus notamment en terme de formation pour les publics plus ou moins qualifiés demeure difficile.

Les managers de P.M.E./P.M.I. préfèrent recruter à court terme, les personnes qualifiées à l'extérieur en fonction des besoins du moment.

La difficulté demeure toujours de prévoir à long terme les commandes, ce qui leur permettrait d'intégrer dans leur stratégie économique les ressources humaines.

Dans un contexte de crise ou de récession économique, il est plus facile de supprimer du personnel et de recruter du personnel qualifié à l'extérieur

L'État doit également jouer son rôle dans la création de mesures incitatrices. Il doit impulser la modernisation de l'organisation du travail, accompagner des formations lourdes si nécessaire, afin de permettre aux entreprises d'être compétitives face à la concurrence, les aider à gérer les sureffectifs en innovant sur les modes de gestion du temps de travail. L'État doit enfin œuvrer à l'abaissement des charges sociales afin de faciliter l'emploi pour tous.

- Les individus ont augmenté leurs capacités techniques, relationnelles c'est un des effets positifs de la participation. L'État ne doit-il pas aider, soutenir les entreprises à aller plus loin dans cette dynamique, permettre aux entreprises de mieux reconnaître leurs personnels toutes catégories ... ?

- L'entreprise ne doit-elle pas retrouver un certain dynamisme, une volonté et l'envie d'entreprendre avec l'adhésion et la coopération de ses collaborateurs ?

- Les salariés ne s'investiront-ils pas davantage dans leur travail quand ils se sentiront reconnus et non plus manipulés ?

- Les managers ne doivent-ils pas être plus responsables, impliqués et fédérateurs ?

- Les syndicats ne peuvent-ils pas jouer un rôle au niveau de la cohésion sociale en terme d'un emploi pour tous, y compris pour les moins qualifiés ?

- Peuvent-ils contribuer à l'évolution du travail et de l'emploi en jouant un rôle de négociateur entre « patrons-salariés-État », afin de déterminer des mesures incitatrices à une démarche d'investissement intellectuel ?

- Enfin, l'emploi ne doit-il pas constituer une priorité pour l'État qui doit associer tous les acteurs de la vie économique à sa politique, l'État servant ainsi de modèle aux entreprises dans leur définition des politiques de Gestion des Ressources Humaines ?

Au niveau Européen selon Édith CRESSON, il est décisif de faire la différence entre compétence et qualification. La difficulté actuelle est de rééquilibrer les choses en faveur de la compétence qui, elle, doit pouvoir être jugée de façon universelle.

À la commission Européenne, est mis en place un système Européen d'accréditation des compétences avec émission d'une carte personnelle de compétences. Cette initiative doit permettre de valider ses compétences pour un poste même si la personne n'a pas le diplôme requis pour ce poste comme le souligne Édith CRESSON dans le livre « *Innover ou subir* ».

« L'objectif est d'ouvrir l'éventail des chances à tous et permettre à chacun, quelle que soit sa formation d'origine, de trouver sa place dans la société. Ce système permettra d'améliorer la mobilité des travailleurs, notamment entre les pays de l'union Européenne » renforce-t-elle.

Les salariés et les cadres en particulier doivent prendre conscience que l'on peut, à tout moment, se donner les moyens d'insuffler un nouvel élan à sa carrière.

Mais comment gérer les ressources humaines et quelle politique définir, quel « tronc commun » peut-il exister entre l'Italie et l'Allemagne ?

Les pouvoirs publics doivent créer plus rapidement des structures pour les demandeurs d'emploi par rapport à l'introduction des nouvelles technologies.

Un partenariat entre les différents pays, entreprises, branches professionnelles, pouvoirs publics doit exister afin de mieux définir des politiques communes et de tenir compte des spécificités de chaque nation.

Les pouvoirs publics doivent avoir une vision plus large sur le monde qui nous entoure.

Doit-on lever les différences culturelles et comment faire pour que la France reste compétitive face à la mondialisation ?

Les idées clés

L'Europe constitue un atout pour la formation des personnes.

Un partenariat entre pays, branches, partenaires sociaux, entreprises doit exister :

➡Définir des cursus communs entre les pays.

➡Permettre de valider les compétences d'un pays vers un autre.

GLOSSAIRE

Analyse transactionnelle : Unité d'échange entre deux personnes consistant en un stimulus et une réponse à ce stimulus. Identifié comme un échange mettant en jeu plus spécifiquement tels ou tels États du Moi des deux personnes, l'analyse des transactions est au cœur même de l'ensemble appelé l'Analyse transactionnelle.

États du Moi : Système cohérent de pensée, de sentiment ou sensation, reliés à des comportements. Nous avons tous trois États du Moi : Le Parent, l'Adulte, l'Enfant avec lesquels nous fonctionnons et qui sont constitutifs de notre personnalité.

Expatriation : Mouvement de personnes basées dans le pays du siège de l'entreprise vers l'extérieur de ce pays.

Impatriation : Mouvement de personnes basées à l'extérieur du pays du siège de l'entreprise vers l'intérieur de ce pays.

Paradoxe : Gérer des antinomies.

Position de vie : Chaque individu prend un décision existentielle dans laquelle il définit le monde, les autres et lui-même comme positif (OK +) ou négatif (OK –).
1/ Moi +, les autres –
2/ Moi –, les autres –
3/ Moi +, les autres +
4/ Moi –, les autres +

Résilience : Selon Boris CYRULNIK, le terme s'applique à ceux qui ont réussi à surmonter un traumatisme. Être en capacité de surmonter des chocs : chocs émotionnels, chocs organisationnels …

Triangle dramatique : Schéma imaginé par Steve KARPMAN illustrant des rôles complémentaires et des changements de rôles entre les trois personnages : le Persécuteur, le Sauveur et la Victime.

BIBLIOGRAPHIE

ACKOFF, *Méthode de planification dans l'entreprise*, 1973.

BALLAND Jean, *Enquête à la demande du Commissariat du plan*, 1988.

BÉLLIER-MICHEL Sandra, *Peut-on gérer les motivations ?*, PUF, 1989.

BERNOUX Philippe, *Sociologie des organisations*, Éditions du Seuil, 1985.

BOURDIEU Pierre et PASSERON J.-C., *La Reproduction*, Paris, Éditions de Minuit,1970.

BOURDIEU Pierre, *Choses dites*, Paris, Éditions de Minuit, 1987.

CASPAR P./AFFRIAT, *L'investissement intellectuel*, Economica, 1988.

CASPAR P./ MILLET J.-G., *Apprécier et valoriser les hommes*, Éditions liaisons, 1993.

CAZES Bernard, *L'histoire des futurs*.

CHALVIN Dominique, *Autodiagnostic des styles de management*, Éditions ESF, 1988.

CORREIA Mario, *Les mobiles des trajectoires individuelles*, « Du jugement sur la justice à l'acquisition d'une nouvelle légitimité sociale », Doctorat de sociologie, Laboratoire G. Friedmann, 1994.

CRESSON Édith, *Innover ou subir*, Flammarion, 1998.

CROZIER Michel, *L'Entreprise à l'Écoute*, Intereditions, 1989.

CROZIER Michel/TILLIETTE B., *La crise de l'intelligence*, Intereditions, 1995.

FREYSSINET J., *Politiques d'emploi des grands groupes*, PUF, 1982.

GALAMBAUD, *Des hommes à gérer*, Paris, Édition moderne d'organisation, 1983.

GAZIER Bernard, *Économie du travail et de l'emploi*, Dalloz, 1992.

GAZIER Bernard, *Les stratégies des resources humaines*, La découverte, 1993.

GELINIER Octave, *Stratégie des entreprises et motivation des hommes*, Paris, Éditions Hommes et techniques, 1984.

GODET Michel, *Emploi : le grand mensonge*, Éditions Fixot, 1994

GODET Michel, *Prospective et planification stratégique*, Economica – 1985.

IRIBARNE Philippe d'., *La logique de l'honneur*, Sociologie, Édition du Seuil, 1989.

JARDILLIER, *Gestion prévisionnelle des effectifs*, 1972.

JOUVENEL Hugues de, Futurible n° 179.

JULLIEN François, *Traité de l'efficacité*, Grasset, 1996.

LASCOUNES, *Normes juridiques et politique*, Sociologie 1990.

LECLERC Patrice et GENTRIC Bernard, Futurible n° 152, mars 1991.

LENHARDT Vincent, *Les responsables porteurs de sens*, INSEP Éditions, 2000.

LESNE M./BARBIER J.-M., *L'analyse des besoins en formation*, 1986.

LYON-CAEN, *Le droit et la gestion des compétences* (revue du Droit Social, juin 1992).

MALGLAIVE G., *Politique et pédagogie en formation d'adulte – Théories et pratiques de l'éducation permanente*, Collection ligue de l'enseignement et éducation permanente, 1981.

MAIGRE Christian/MULLER Jean-Louis, *La guerre du temps*, Éditions ESF - 1998

MARBACH Valérie, *Évaluer et rémunérer les compétences*, Éditions d'Organisation, 1999

MORFAUX Louis-Marie, *Vocabulaire de la philosophie et des sciences humaines*, Armand Colin, 1980.

PIVETEAU Jacques, *L'entretien d'appréciation du personnel*, INSEP Éditions, 1985.

PLASSE Denis/PRADERIE Michel, *Les enjeux de la formation*, RETZ, 1995.

ROUSSEAU Michel : Document sur conseil, étude et développement aux entreprises et aux territoires.

REVUE ÉDUCATION PERMANENTE, *Le projet personnel et professionnel*, n° 86, 1986.

Revue trimestrielle *La Cohorte*, SEMLH (société d'entraide des membres de la Légion d'Honneur) n° 166, février 2002.

SAINSAULIEU Renaud, *Sociologie de l'organisation et de l'entreprise*, Dalloz, 1988.

SAUSSEREAU Laurent et STEPPLER Franck, *Regards croisés sur le management du savoir*, Éditions d'Organisation, 2002.

SENNETT Richard, *Le travail sans qualités*, Albin Michel, 1998.

TEBOUL Jacques, *L'entretien d'évaluation*, Dunod, 1986.

THEVENOT Dominique, *Le partage des connaissances*, Technique et Documentation, 1998.

THIERRY Dominique et SAURET Christian, *La gestion préventive et prévisionnelle des emplois et des compétences*, Éditions l'Harmattan, 1993.

WATZLAWICK Paul, *Une logique de communication*, Le Seuil, 1979.

WEISS Dimitri, *La fonction Ressources humaines*, Les éditions d'organisation, 1989.

ZARIFIAN Philippe, *Acquisition et reconnaissance des compétences dans une organisation qualifiante*, Éducation permanente n° 112, 1992.

INDEX

Composé par Compo-Méca Sarl
64990 Mouguerre

Achevé d'imprimer : Jouve-Paris
N° d'éditeur : 3037
N° d'imprimeur : 356174N
Dépôt légal : septembre 2004

Imprimé en France